D0966020

Savons & parfums faits maison

Savons & parfums faits maison

DES SAVONS, SHAMPOOINGS, PARFUMS
ET LOTIONS FAITS MAISON

Par Catherine Bardey

Photographies de Zeva Oelbaum

KÖNEMANN

151 West 19th Street
New York, NY 10011

Titre original : *Making Soaps & Scents*

Könemann Verlagsgesellschaft mbH
Bonner Strasse 126, D-50968 Cologne

Traduction de l'américain : Geneviève Boisset
Réalisation : Sarbacane, Marie-Hélène Albertini, Paris
Lecture : Cécile Carrion
Impression et reliure : Kossuth Nyomda, Budapest
Imprimé en Hongrie

ISBN 3-8290-4254-X

10 9 8 7 6 5 4 3 2 1

Sommaire

PREMIÈRE PARTIE : *les savons*

SECONDE PARTIE : *les parfums*

Première partie

Les savons

L'HISTOIRE EN BREF

•

FABRIQUER DU SAVON, EN UN MOT

•

ACCESSOIRES

•

INGRÉDIENTS

•

BASES & TECHNIQUES

•

SAVON RECUIT ET RECYCLÉ

•

MÉTHODE DE LA GELÉE

•

DÉCORATION & EMBALLAGE

Le savon existe depuis la nuit des temps.

On ne le rencontrait pas encore sous la forme de savon doux à l'amande et au miel ni même de savon purifiant à la lavande et au citron vert décoré de pétales pourpres au délicat parfum d'agrumes mais simplement de savon, une substance ayant la particularité de mousser et de nettoyer.

Selon la légende, le savon doit son nom au mont Sapo, l'une des collines de Rome baignée par le Tibre et vouée au sacrifice rituel d'animaux. Les Romains venaient y laver leur linge. Les jours de pluie, une substance argileuse faite de graisses animales et de cendres de bois résiduaires ruisselait le long des coteaux. Mélangée à l'eau du fleuve, cette argile donnait une substance mousseuse rendant le linge plus propre.

Les célèbres bains romains, apparus vers 312 av. J.-C., popularisèrent quelque peu la notion d'hygiène en Occident. Le savon ne faisait néanmoins pas partie de ce rituel et ne fut associé à l'hygiène corporelle qu'au IIe siècle de notre ère, lorsque Galien de Pergame (env. 130-200), l'un des plus grands physiciens de l'Antiquité après Hippocrate, en reconnut les propriétés médicinales et purifiantes. Auparavant, le lait, le sable, les huiles, les herbes, les pétales de fleur et divers onguents servaient à se laver. Frottés sur le corps, ils enlevaient la saleté, la crasse et les cellules de peau morte.

Malheureusement, après la chute de l'Empire romain et lors du Bas Moyen Âge, les bains et toute activité s'intéressant au corps humain furent considérés comme des actes maléfiques. Le concept d'hygiène personnelle – et l'utilisation de savon à cet effet – périclita. En l'absence de toute notion sanitaire, la peste, la maladie et la mort ravagèrent l'Europe.

Le savon fit une réapparition dans certaines contrées d'Italie et d'Espagne au VIIIe siècle, puis au XIIIe siècle en France et en Angleterre. Les découvertes de deux éminents scientifiques français aux XVIIIe et XIXe siècles incitèrent la fabrication et l'utilisation du savon comme agent nettoyant : Nicolas Leblanc breveta un procédé en 1791 permettant d'obtenir des alcalis (éléments indispensables à la fabrication de savon) à partir de sel et Louis Pasteur fit le rapprochement entre bactéries et maladies au XIXe siècle, faisant ainsi valoir la nécessité de combattre les bactéries.

Les progrès de la chimie et la modernisation des méthodes de fabrication facilitèrent la production de savons durant longtemps et moussant beaucoup et en firent un article d'usage courant. Si le savon que nous utilisons aujourd'hui a subi de nombreuses transformations depuis que nos ancêtres ont commencé à l'utiliser, sa composition de base et ses recettes sont restées identiques. Vous pouvez ainsi reprendre chez vous ces mêmes recettes simples à base d'ingrédients naturels.

Fabriquer son propre savon est une activité gratifiante qui requiert un peu de pratique, de patience et d'imagination. De plus en plus de personnes redécouvrent les joies d'une belle mousse, riche et naturelle. Au gré des saisons et de votre humeur, un savon d'été au citron, un savon au chocolat et au lait parfumeront vos douches et vos propres créations remplaceront vite le classique savon au bois de rose.

Fabriquer du savon, en un mot

Des matières premières au produit final, tous les savons passent par diverses phases avant de pouvoir être utilisés. Que vous optiez pour le procédé à froid, que vous brûliez quelques étapes avec la recuisson ou que vous suiviez la méthode de la « gelée », votre savon aura toujours subi les quatre phases suivantes :

- Chauffage : deux mélanges – l'un d'huiles et l'autre de soude et d'eau – sont portés à haute température et mélangés.

- Saponification : la réaction chimique entre les huiles, la soude et l'eau.

- Moulage : le savon liquide est versé dans des moules et réservé pour sécher et durcir.

- Prise, séchage et vieillissement : période de plusieurs semaines au cours de laquelle le savon sèche.

Le savon ne pourra être utilisé sans danger qu'à la fin de ces quatre phases – mais rien ne vous empêche en cours de route d'ajouter votre note personnelle, en jouant avec les huiles, les adoucissants, les parfums, les textures et les couleurs.

L'un des plaisirs de la fabrication domestique de savon est qu'elle ne requiert pas d'équipement complexe ni onéreux. En pratique, le matériel se trouve déjà dans votre cuisine. Avec une râpe à fromage, des spatules et des maniques – et un peu d'imagination, de confiance et de créativité – vous pouvez monter votre atelier en un rien de temps.

- Balance : si vous comptiez investir, c'est le moment. Une balance sera votre plus fidèle alliée. Si elle est électronique et numérique, c'est parfait. La précision des mesures – notamment pour la soude, les graisses et les huiles – est cruciale dans la réalisation du savon. N'oubliez pas : peser les ingrédients au lieu de les mesurer en volume donne des résultats plus précis.

- Un couteau économe et un couteau bien aiguisé pour couper, trancher et racler les pains de savon et enlever les excès de cendre de soude.

- Des tasses (en verre) et des cuillères (en inox) à mesurer : pour mesurer les additifs, adoucissants, huiles essentielles, herbes et épices, fruits et tout ce que vous ajouterez pour personnaliser vos différents savons.

- Une grande marmite (en inox ou céramique) résistant à la soude : cette marmite servira au mélange de tous les ingrédients – graisses ou huiles, soude/eau et additifs (adoucissants, parfums, colorants). Une marmite de 8 litres est suffisante.

- Un pot doseur (en verre ou plastique) de 2 litres résistant à la soude caustique, avec un bec suffisamment large pour verser la lessive (eau/soude) dans la marmite.

- Des gants en caoutchouc : pour vous protéger en particulier de la soude, susceptible d'irriter et de brûler la peau en cas de contact direct. Gardez-les tout le temps, même lorsque vous coupez le savon dur. Le pH du savon séché n'est pas totalement neutre tant que le vieillissement n'est pas terminé (*voir* Vieillissement, page 46).

- Des lunettes de protection : une paire de lunettes pour protéger vos yeux des vapeurs

de soude très irritantes, notamment lorsque vous préparez la lessive.

- Des masques jetables (facultatif) : disponible en droguerie, un masque jetable minimisera les risques d'inhaler des vapeurs nocives.

- Une râpe à fromage : pour râper les restes de savon et les recuire (*voir* page 50).

- Un moulin à café ou un robot ménager : pour moudre les herbes, épices, fleurs, fruits, etc.

- Une grande cuillère en inox pour mélanger les ingrédients.

- Une louche en inox pour verser le savon liquide dans de petits moules.

- 2 spatules en caoutchouc : pour faire glisser le savon liquide de la marmite lorsque vous le versez dans un grand moule.

- 2 thermomètres de cuisson : ils sont indispensables pour porter les graisses, les huiles et la lessive à la température requise. Les thermomètres en verre, de préférence avec clip pour les accrocher au rebord de la marmite, sont plus précis.

- De vieilles couvertures ou serviettes : pour couvrir le savon lors du séchage et du vieillissement (*voir* Vieillissement, page 46).

- Un fouet en inox (facultatif) : en cas de grumeaux.

- Du film plastique : pour minimiser la cendre de soude ou comme anti-adhérent dans les moules à la place des sprays.

- Papier paraffiné (facultatif) : comme anti-adhérent dans les moules. N'oubliez pas le scotch pour fixer le papier sur le bord extérieur du moule.

- Des maniques ou gants de cuisine.

- 2 bains d'eau (facultatif) : une cuvette ou une bassine ou un évier pour refroidir la solution lessive/eau ou réchauffer/refroidir les huiles.

- Des éponges : il vaut mieux en avoir à portée de main en cas d'accident car il faut immédiatement nettoyer.

- Divers récipients en plastique ou en carton épais et des moules (*voir* Moules, page 43).

- Un anti-adhérent de cuisine en spray ou du pétrolatum : pour graisser les moules.

- De la soude caustique (flocons, perles ou granules) : la soude caustique s'achète en droguerie. Elle ne doit être composée que d'hydroxyde de sodium.

- De l'eau : distillée ou du robinet.

NOTE : *le verre, le plastique dur, l'inox, le grès ou l'émail sont des matériaux que vous pouvez utiliser sans risque pour fabriquer du savon. L'étain, l'aluminium, le Téflon, le zinc, le cuivre et le fer se corrodent au contact de la soude. Évitez le bois (cuillères, spatules). Il est plus difficile à nettoyer et peut se fendre avec le temps. Nettoyez minutieusement tous les ustensiles après chaque utilisation.*

Le savon n'est que le mélange de quelques ingrédients simples : des graisses et/ou des huiles, de l'eau et de la soude caustique (hydroxyde de sodium). Vous pouvez ajouter un peu de ceci et une pincée de cela pour donner du caractère, de la couleur, une texture ou une propriété adoucissante à votre pain de savon mais le savon que vous faites aujourd'hui chez vous est très proche de celui que confectionnaient nos ancêtres.

Graisses et huiles de base

Avant de réaliser votre premier savon, vous devez savoir si vous voulez un savon à base de graisse animale, végétale ou un mélange des deux. Chaque type de savon a des propriétés et des caractéristiques distinctes. Votre choix dépendra de votre préférence personnelle, des matériaux que vous pouvez vous procurer et du budget dont vous disposez.

Savons à base de graisse végétale

Les savons à base de graisse végétale ont une mousse riche et douce. Ils sont plus tendres que les savons à base de graisse animale et par conséquent durent moins longtemps. L'utilisation des huiles est un gain de temps car la plupart – si ce n'est toutes – des huiles commercialisées sont déjà purifiées et prêtes à l'emploi. Mais elles sont plus chères que les graisses animales.

Choisissez votre huile en fonction de la qualité et du caractère de votre produit final. La plupart des fabricants choisissent pour base une huile – huile de coco ou huile de palme – disponible en quantité et relativement bon marché. D'autres huiles, telles que l'huile d'avocat, de germe de blé ou d'abricot (plus chères) sont ensuite ajoutées à la base pour accroître la qualité du savon. Le caractère, la texture et les propriétés du savon dépendront des huiles et des additifs ajoutés à la base. Vérifiez la table de saponification page 167 pour connaître la quantité de soude requise pour l'huile choisie.

Types d'huiles et de graisses végétales de base

Huile de coco : cette huile est extraite de la chair de la noix de coco. Elle est vendue dans les épiceries fines et orientales. Lorsque vous l'achetez, selon la température, elle est claire et liquide ou épaisse et blanche, au quel cas il suffit de la chauffer pour qu'elle retrouve son état liquide. L'huile de coco donne un savon crémeux, ferme, qui mousse agréablement. Elle a néanmoins tendance à dessécher la peau. Pour contrecarrer cet effet, des huiles hydratantes sont souvent ajoutées.

Beurre de cacao : le beurre de cacao, issu des fèves du cacaoyer, a des propriétés apaisantes et adoucissantes pour la peau et donne un savon crémeux. On l'achète en pharmacie ou dans des magasins de diététique.

Huile d'olive : les bienfaits de l'huile d'olive pour la peau sont bien connus. Il y a diverses qualités d'huile d'olive, dont la couleur, l'arôme, le goût et le prix varient. En général, toutes les qualités peuvent être utilisées pour faire du savon. Les huiles d'olive vierges et extra-vierges première pression à froid sont parfumées et d'un jaune profond. Elles donnent un savon un peu jaune qui sent l'olive. Ces huiles saponifient plus lentement. L'huile d'olive tirée de la dernière pression est inodore, moins chère et saponifie rapidement. Elle donne un savon dur, de qualité, qui donne une mousse douce mais peu abondante.

Huile de palme : l'huile de palme est tirée du palmier à huile et ses propriétés sont proches de celles du suif. Un savon à base d'huile de palme est facile à travailler car il réagit de manière prévisible au mélange eau-soude et saponifie bien (*voir* Saponification, page 34). Comme le suif, il donne un savon ferme, qui dure mais mousse peu. L'huile de palme, disponible dans les épiceries fines, est souvent mélangée à d'autres huiles pour améliorer les propriétés moussantes du savon sans altérer ses propres qualités.

GRAISSE VÉGÉTALE : cette substance blanche, style végétaline, qui ressemble à de la glace à la vanille est essentiellement composée d'huile de soja. Il vaut mieux l'utiliser avec d'autres huiles et non seule. Elle donne de la consistance au savon et se mélange bien avec les autres huiles principales et les additifs.

Savons à base de graisse animale

Autrefois, les savons domestiques étaient également fabriqués à partir de graisse animale, aisément disponible et bon marché. Il restait toujours de la graisse de bœuf ou de rognon, du suif ou du saindoux dans la cuisine. Les morceaux de gras et de lard étaient stockés et généralement ramassés par le savonnier local contre deux pains de savon. Le savonnier faisait fondre les graisses et les nettoyait avant de les mélanger à la soude.

Aujourd'hui, la plupart des fabricants de savon utilisent encore la graisse animale. Le suif est préféré car il est moins cher et plus facile à travailler que les autres graisses et huiles. Il est probable que les savons que vous achetez en pharmacie ou au supermarché sont à base de suif, mélangé à d'autres ingrédients – naturels ou synthétiques – pour une mousse plus riche.

En général, les savons à base de graisse animale sont plus durs, durent plus longtemps et sont donc plus économiques. Outre l'aspect économique, les puristes vous diront que seule la graisse animale compte dans le savon car, depuis l'Antiquité, c'est ainsi qu'il est fait. Ils vous diront également que la graisse animale est plus hydratante que l'huile végétale. Il est vrai que certaines huiles végétales peuvent assécher la peau. D'un autre côté, des études montrent qu'en raison de la nature entièrement saturée de la graisse animale, elle peut boucher les pores et irriter les peaux sensibles. De toute évidence, votre peau sera le meilleur juge.

En matière de mousse, certains apprécient un savon qui mousse abondamment et d'autres préfèrent une mousse plus légère. Le suif et la graisse animale en général donnent un savon doux, purifiant qui mousse peu. Pour contrecarrer cet effet, les savonniers y ajoutent souvent une huile végétale – de coco par exemple. Si vous recherchez avant tout la mousse et les bulles, préférez un savon à base d'huile végétale.

Types de graisses animales

GRAISSES DE BŒUF ET DE ROGNON : la graisse de bœuf et celle de rognon s'achètent chez votre boucher ou au supermarché pour presque rien. La graisse de rognon tend à être plus ferme et plus propre que la graisse de bœuf. Il convient néanmoins de les faire fondre toutes deux avant de les utiliser. Elles donnent un savon doux qui possède une texture ferme.

SUIF : un ingrédient de choix, particulièrement pur et facile à travailler. Le suif est de la graisse animale fondue. Des morceaux de graisse de bœuf ou de rognon sont mis à fondre dans une marmite puis purifiés en filtrant à plusieurs reprises la graisse liquide pour enlever toutes les impuretés. Refroidi, le produit final est ferme, blanchâtre et quasiment inodore. La fonte est une étape très importante dans la réalisation de savon. Tous les savonniers s'accordent à dire que plus le suif est pur, plus le savon est beau. Si la graisse est mal nettoyée, le savon pourra être marbré, décoloré ou pire, avoir une odeur rance et désagréable.

SAINDOUX : le saindoux est de la graisse fondue de cochon et non de bœuf. Il est bon marché et peut être acheté en supermarché.

ADDITIFS, AGENTS & AUTRES HUILES :

Lorsque vous avez choisi vos graisses et/ou huiles de base, vous pouvez personnaliser votre savon en ajoutant d'autres ingrédients – tels que des agents adoucissants, exfoliants et émollients – à la base. N'oubliez pas que le processus de saponification sera affecté quelle que soit l'huile que vous ajoutiez. Consultez le tableau de saponification page 167 pour réajuster la quantité de soude nécessaire.

Adoucissants, hydratants et émollients pour la peau :

Ces additifs amélioreront les propriétés hydratantes et apaisantes du savon. Certains de ces ingrédients (comme l'huile d'olive et de jojoba) agissent comme une barrière qui emprisonne l'humidité naturelle de la peau et empêche les éléments de l'assécher. D'autres, comme l'huile d'avocat et d'amande douce, contiennent des vitamines, des protéines et des acides aminés qui ont un effet apaisant sur la peau.

ADDITIF	QUANTITÉ	QUAND L'INCORPORER AUX HUILES/GRAISSES
gel d'aloès	1 cuil. à soupe	• avant de remplir les moules
huile d'abricot	1 cuil. à soupe	• avant de remplir les moules
huile d'avocat	1 cuil. à soupe	• avant de remplir les moules
huile de ricin	1 cuil. à soupe	• avant de remplir les moules
miel	1 cuil. à soupe	• chauffé, avant de remplir les moules
beurre de karité	1 cuil. à soupe	• fondu et refroidi, avant de remplir les moules
huile de carotte	3/4 de cuil. à soupe	• avant d'ajouter le mélange eau/soude
huile de jojoba	1 cuil. à soupe	• avant de remplir les moules
lait (babeurre, lait de chèvre, lait de vache, lait ou crème de coco)	60 ml	• avant de remplir les moules
lait en poudre	30 ml	• avant de remplir les moules
h. d'amande douce	1 cuil. à soupe	• avant de remplir les moules
h. de germe de blé	3/4 de cuil. à soupe	• avant d'ajouter le mélange eau/soude

Exfoliants

Les exfoliants agissent comme des abrasifs et purifient la peau en la débarrassant des cellules mortes. Avant de les ajouter dans le savon, assurez-vous que ces ingrédients sont suffisamment moulus. Dans le cas contraire, vous auriez l'impression de vous lavez avec du papier de verre et vous risqueriez de boucher vos canalisations.

ADDITIF	QUANTITÉ	QUAND L'AJOUTER AUX HUILES/GRAISSES
Farine de luzerne	60 ml	• avant de remplir les moules
Son	60 ml	• avant de remplir les moules
Farine de maïs	60 ml	• avant de remplir les moules
Amandes en poudre	60 ml	• avant de remplir les moules
Graines de moutarde	60 ml	• avant de remplir les moules
Farine d'avoine	60 ml	• avant de remplir les moules
Algue	60 ml	• avant de remplir les moules
Flocons de tapioca	1 1/2 c. à soupe	• avant de remplir les moules

Cires

Les cires sont essentiellement ajoutées pour stabiliser et épaissir le savon. Elles assurent également la fermeté du produit final. La cire d'abeille offre l'avantage de donner au savon une légère odeur de miel.

ADDITIF	QUANTITÉ	QUAND L'AJOUTER AUX HUILES/GRAISSES
Cire d'abeille	1/4 de tasse	• fondue avec les huiles/graisses avant d'ajouter le mélange eau/soude
Lanoline	3 cuil. à soupe	• avant d'ajouter le mélange eau/soude
Lécithine	2 1/2 cuil. à soupe	• avant d'ajouter le mélange eau/soude

Fabriquer du savon, comme faire la cuisine ou toute autre activité qui nécessite de la précision, de l'attention et de la créativité, demande du bon sens, de l'anticipation et de l'organisation. Après quelques conseils, faire du savon sera pour vous un passe-temps amusant, sans danger et gratifiant.

Mesures de sécurité

Après avoir réuni les ustensiles et les fournitures, choisissez un lieu de travail approprié. En raison des vapeurs nocives de la soude, le lieu doit être ventilé (l'idéal est de travailler à l'extérieur) et loin de tout passage fréquent (loin des enfants et des animaux). Il est également préférable de protéger la surface de travail et le sol environnant des éclaboussures par des journaux ou des cartons.

Vous devez ensuite choisir votre tenue de savonnier. Si vous avez envie d'être sexy ou élégant(e), changez d'activité ! Première règle : couvrir chaque centimètre carré de corps pour éviter tout contact entre la peau et la soude. En d'autres termes, oubliez les débardeurs et les sandales et préférez une chemise à manches longues, un vieux jeans et des chaussures fermées.

Des lunettes de protection et des gants en caoutchouc sont indispensables. Les lunettes protègeront vos yeux des vapeurs de soude et les gants protègeront vos mains de la soude et de la chaleur. Portez toujours des gants et des lunettes, même lorsque vous manipulez le savon dur – lorsque vous le retirez du moule par exemple – car la soude reste caustique tant que le processus de vieillissement n'est pas fini (*voir* Vieillissement, page 49). Un masque jetable est également recommandé pour ne pas inhaler les vapeurs de soude. À l'instar d'autres activités, quittez vos bijoux pour ne pas les salir ni les abîmer car la soude attaque les métaux.

Lorsque vous manipulez les ingrédients qui servent à la fabrication du savon, faites appel à votre bon sens et suivez les précautions d'emploi mentionnées sur les emballages. Pour la soude, n'ouvrez le paquet que lorsque vous allez l'utiliser et refermez-le immédiatement. La soude devient grumeleuse et perd de son activité au contact de l'air. Il est important de minimiser les risques éventuels et les émanations. Il est judicieux d'avoir une bouteille de vinaigre blanc ou un jus de citron à portée de main au cas où vous recevriez de la soude, de la lessive ou du savon liquide sur votre peau. L'acidité de ces ingrédients neutralise l'effet caustique de la soude et rétablit le pH naturel de la peau. Appliquez le vinaigre ou le citron sur la zone touchée – la soude prend un aspect visqueux sur la peau puis commence à démanger et brûler –, rincez abondamment à l'eau et séchez. Si la soude ou la lessive se répand sur le plan de travail, lavez immédiatement avec une eau savonneuse, rincez et essuyez. Pour jeter la soude, suivez les instructions sur l'emballage ou demandez conseil à votre droguiste. N'oubliez pas d'étiqueter le récipient dans lequel vous mélangez la soude et l'eau. Ce récipient ne doit servir qu'à la fabrication des savons.

Notez tous les ingrédients et les mesures dès que vous les avez pesés afin de les vérifier si nécessaire. Si vous savez où vous avez commis une erreur dans vos mesures, vous serez alors peut-être capable de les corriger.

Finalement, aussi beau que votre savon puisse être ou aussi bon qu'il puisse sentir, ne le goûtez JAMAIS, faites très attention en le touchant à mains nues et, par-dessus tout, soyez patient(e) ! Un bon savon n'est rien d'autre qu'un savon parfaitement séché.

Il existe trois manières de fabriquer du savon : le procédé à froid, la recuisson et la fonte, que j'appelle la méthode de la gelée. Votre emploi du temps et votre patience vous aideront à déterminer la méthode qui vous convient le mieux.

Les trois catégories :

LE PROCÉDÉ À FROID est la méthode qui se rapproche le plus du mode de fabrication traditionnel. Il dépend d'un processus appelé saponification, qui est une réaction chimique entre un acide (graisses animales ou huiles) et une base (soude ou hydroxyde de sodium et eau). En présence l'un de l'autre, la base et l'acide se combinent et forment un mélange épais et sirupeux appelé savon liquide. Ce mélange est ensuite versé dans des moules pour sécher et vieillir. Cette méthode s'appelle procédé à froid car lorsque les graisses ou les huiles fondues sont mélangées, il n'est pas nécessaire de chauffer quoi que ce soit. Le mélange « cuit » tout seul.

Le procédé à froid est le plus long des trois – vous partez d'une série d'ingrédients distincts que vous devez transformer en pain de savon. Les puristes iront même jusqu'à faire fondre leur propre suif pour avoir une graisse très pure.

LA RECUISSON consiste à râper des savons réalisés à froid, à les fondre et les remodeler. Ces savons sont plus onctueux, durent plus longtemps et sont plus durs que les savons initiaux. Si vous avez peu de temps ou si vous voulez un résultat rapide – aux dépens de la qualité et de la pureté – vous pouvez rassembler des restes de savon achetés dans le commerce, les râper, les faire fondre et les remodeler. C'est une excellente manière de recycler ces petits morceaux de savon qui finissent souvent dans les canalisations. Seul hic, vous n'appréciez pas pleinement la magie de la soude, de l'eau et de la graisse qui se transforment en pain de savon.

LA FONTE OU MÉTHODE DE LA GELÉE est la plus rapide et de loin la plus simple. Il suffit de faire fondre des morceaux de glycérine et de les verser dans des moules. Bien que plus orthodoxe, cette méthode est propice à la créativité et l'expérimentation. Vous pouvez également trouver diverses manières de personnaliser vos savons à la glycérine : par exemple, vous pouvez mettre de petits objets dans le savon liquide après l'avoir versé dans les moules avant qu'il prenne – de petits jouets en plastique, des grains de café, des petits messages ou des décalcomanies, en fonction de vos envies.

Contrôle de la température

Le contrôle de la température est primordial pour réussir un savon, notamment dans le procédé à froid. Un thermomètre de cuisson très précis est donc indispensable pour garantir la qualité de votre savon.

Afin d'obtenir la réaction chimique souhaitée entre l'acide et la base, les huiles ou graisses et la lessive doivent être, lorsqu'elles sont mélangées, à une certaine température qui ne doit pas excéder un écart de 2 à 4 °C. L'acide et la base doivent varier entre 35 et 37,8 °C en fonction des graisses ou des huiles utilisées. Par ailleurs, il ne faut pas oublier que les graisses et les huiles ne chauffent pas aussi vite que la lessive. Lorsque vous mélangez l'hydroxyde de sodium (soude) et l'eau, la soude se dissout en quelques minutes et le mélange s'échauffe immédiatement. Très rapidement, il atteint une température de 94 °C, sans avoir été chauffé. Les graisses et les huiles, d'un autre côté, requièrent plus de temps, notamment si les graisses doivent fondre avant de chauffer. Il est souvent conseillé de laisser refroidir la lessive une nuit et de la réchauffer au bain-marie (*voir* ci-après) au dernier moment, avant de la verser sur les graisses ou les huiles.

Pour contrôler la température des divers mélanges, il convient de ne pas oublier les points suivants : pour les graisses ou les huiles, remuez bien le mélange avant de plonger le thermomètre pour être certain d'avoir une température homogène. Un thermomètre avec clip que vous pouvez accrocher au bord de la marmite sera plus précis qu'un thermomètre touchant le fond de la marmite et qui mesure la chaleur du feu. La température de la lessive est en un sens plus facile à contrôler car il n'y a pas de source de chaleur extérieure et la chaleur est distribuée de manière homogène dans le mélange.

Ceci étant dit, avec un peu de pratique, le contrôle de la température deviendra moins périlleux et plus facile dès lors que vous connaîtrez mieux les propriétés des ingrédients choisis.

Les bains – d'eau chaude ou froide – sont très utiles pour ajuster la température des mélanges. Si les graisses ou huiles sont trop chaudes pour la lessive ou inversement, plongez-les dans un bain froid.

Pour cela, il vous suffit de prendre un grand récipient, une marmite ou une bassine et de le remplir à moitié d'eau froide. Posez le récipient contenant les graisses/huiles ou la lessive dans cette bassine, en prenant soin que l'eau ne pénètre pas dans le mélange. Surveillez le thermomètre jusqu'à ce que la température souhaitée soit obtenue. Lorsque vous refroidissez des graisses, n'oubliez pas que le froid peut solidifier le liquide en surface. Pour éviter cela, remuez constamment jusqu'à obtention de la température souhaitée.

Inversement, un bain d'eau chaude élève ou maintient la température d'un liquide. Faites également attention de ne pas mouiller le mélange et surveiller régulièrement la température.

Après quelques essais, vous aurez une notion plus précise de la température et les bains d'eau chaude ou froide seront obsolètes. Ils restent néanmoins très utiles dans les premiers temps.

La saponification

Comme nous l'avons déjà dit, la saponification est un terme élaboré qui décrit la réaction chimique entre la soude et l'huile – l'instant précis où les éléments deviennent du savon. Ce qu'il faut que vous reteniez à ce stade, c'est que vous n'avez rien à faire, si ce n'est regarder.

D'un point de vue chimique, la saponification est le résultat d'un contact entre une base et un acide, ou un alcali et une graisse. Ce contact produit de la chaleur, du savon et de la glycérine.

En associant les deux mélanges, il est important d'éviter les éclaboussures, d'où l'importance d'un récipient avec bec verseur pour contrôler le flux de lessive versé dans les huiles. La lessive doit être ajoutée de manière régulière, sans éclaboussure et en remuant constamment. Le secret d'une saponification réussie dépend du ratio acide/base qui varie selon le type d'acide utilisé. En d'autres termes, toutes les graisses et huiles ne demandent pas la même quantité de soude pour arriver à la saponification. En réalité, chaque graisse ou huile a un indice SAP, ou indice de saponification, qui permet de déterminer la quantité de soude requise (*voir* tableau de saponification, page 167). N'oubliez pas de le consulter si vous remplacez une graisse ou une huile d'une recette par une autre.

Traçage

Le traçage survient à l'instant où le savon liquide devient sirupeux et opaque et où vous pouvez « tracer » une ligne à la surface du savon lorsque vous retirez la cuillère et laissez couler le liquide. L'apparition de la trace indique que les deux mélanges sont « saponifiés » et se sont mélangés en une substance homogène. Cela signifie que le « savon liquide » est formé et a la consistance d'une purée très liquide et grumeleuse ou d'une soupe épaisse. Pour les amateurs de cuisine, la saponification peut être comparée à l'instant précis où les blancs montés en neige deviennent une meringue ou lorsque la sauce béarnaise prend.

Le traçage peut survenir entre quinze minutes et une heure trente à deux heures, en fonction des ingrédients employés. Pour les savons à base de graisse animale, l'apparition de la trace est plus rapide que pour les savons à base d'huiles végétales liquides. Il vous faut donc être très patient(e) dans ce cas.

Un brassage vigoureux améliore les chances de saponification. Le brassage doit être suffisamment vif pour que les ingrédients se mélangent sans être exagéré pour ne pas incorporer de bulles d'air dans le savon liquide. Néanmoins, si vous voulez obtenir un savon qui flotte, c'est à cet instant qu'il faut aérer le mélange. N'utilisez pas de mixer sauf s'il est pourvu d'une vitesse très lente.

Cette partie est sans doute la plus amusante : personnaliser le savon en ajoutant toutes sortes d'ingrédients. Tout est bon : des huiles essentielles au miel, aux herbes aromatiques et fruits secs, en fonction de votre humeur. N'oubliez pas que quoi que vous ajoutiez, vous devez le hacher ou le râper très finement afin de ne pas obstruer vos canalisations. D'une façon générale, il est sage de ne pas mettre de gros morceaux dans votre savon.

À ce stade – juste après la saponification –, le savon liquide doit être encore chaud. Ce que vous ajoutez doit être à la bonne température pour éviter tout choc thermique au liquide lorsque les ingrédients sont incorporés. Il n'est pas vraiment nécessaire de les chauffer mais simplement de les sortir du réfrigérateur et de les laisser à température ambiante avant de les plonger dans le savon liquide.

Si vous vous demandez ce que vous pouvez ajoutez, voici quelques suggestions. Le mieux est de faire appel à votre imagination.

Caractéristiques apaisantes : les huiles essentielles sont des extraits ou de « l'essence » pure de plantes, écorces, fleurs, feuilles, herbes ou tiges et possèdent des propriétés apaisantes distinctes et spécifiques. Très volatiles par nature, ces huiles peuvent directement être ajoutées au savon liquide, soit seules soit sous une forme combinée. N'oubliez pas que ces essences sont très concentrées et qu'il en faut peu. Généralement, une à trois cuillères à soupe d'huile essentielle suffisent par marmite de savon (*voir* table des huiles essentielles page 165).

Parfums : les huiles parfumées sont des mélanges synthétiques avec une base d'alcool. Elles sont plus délicates à travailler car elles accélèrent le traçage et font épaissir plus vite le savon. Préparez-vous à verser rapidement le savon dans les moules après avoir ajouté les huiles parfumées. Certaines huiles parfumées interfèrent même sur le processus de saponification. Il est préférable de faire un essai avant d'ajouter une huile parfumée à une marmite complète.

Couleur : la couleur d'un savon est soit naturelle, soit chimique. Il existe divers colorants chimiques que vendent les sociétés de savon. Le pastel est une autre manière de colorer un savon. Les pastels sont faits de cire et peuvent être fondus avant d'être ajoutés au savon liquide. Un pastel suffit à colorer un lot de savon.

Personnellement, je préfère m'en tenir aux méthodes de coloration traditionnelles qui donnent aux savons une teinte plus subtile et naturelle. Une cuillère à soupe d'un ingrédient finement moulu permet de colorer une marmite de savon. Assurez-vous que les ingrédients sont très finement moulus ou passés. N'oubliez pas non plus que la couleur s'éclaircit lorsque le savon prend. *Voir* les exemples de couleurs pages suivantes.

- Curry en poudre
- Cannelle
- Café moulu
- Paprika
- Pastel

COULEUR OU TEINTE SOUHAITÉE	INGRÉDIENT
vert	• chlorophylle verte liquide • purée d'épinard pour bébé
orange	• purée de carotte pour bébé
pêche	• paprika
jaune doré	• curry en poudre • curcuma
orange brûlé	• henné en poudre
marron	• poudre de coca • chocolat noir moulu • café moulu
beige	• cannelle en poudre • muscade en poudre
rose-orangé	• poivre de Cayenne
rouge-rosé	• purée de betterave rouge cuite • jus concentré de betterave

Texture : en ajoutant un ingrédient au savon liquide, n'oubliez pas que le savon ne doit pas boucher vos canalisations et que rien n'est plus désagréable que de se laver avec du papier de verre. Par conséquent, vous devez moudre ou hacher finement tout ce que vous incorporez.

Essayez d'ajouter :

• Des fruits secs ou frais finement hachés ou râpés, des écorces d'agrumes, des fleurs et des pétales frais ou séchés, des noix et des légumes pour donner du caractère et de la densité au savon ; des herbes colorantes et des épices pour donner couleur et texture.

Exfoliants pour la peau :

• Argile, germe de blé moulu, farine d'avoine, farine de maïs, algues fraîches ou séchées, flocons de tapioca.

Adoucissants pour la peau :

• Lait (de vache ou de chèvre), crème, miel, vitamine E ou lanoline.

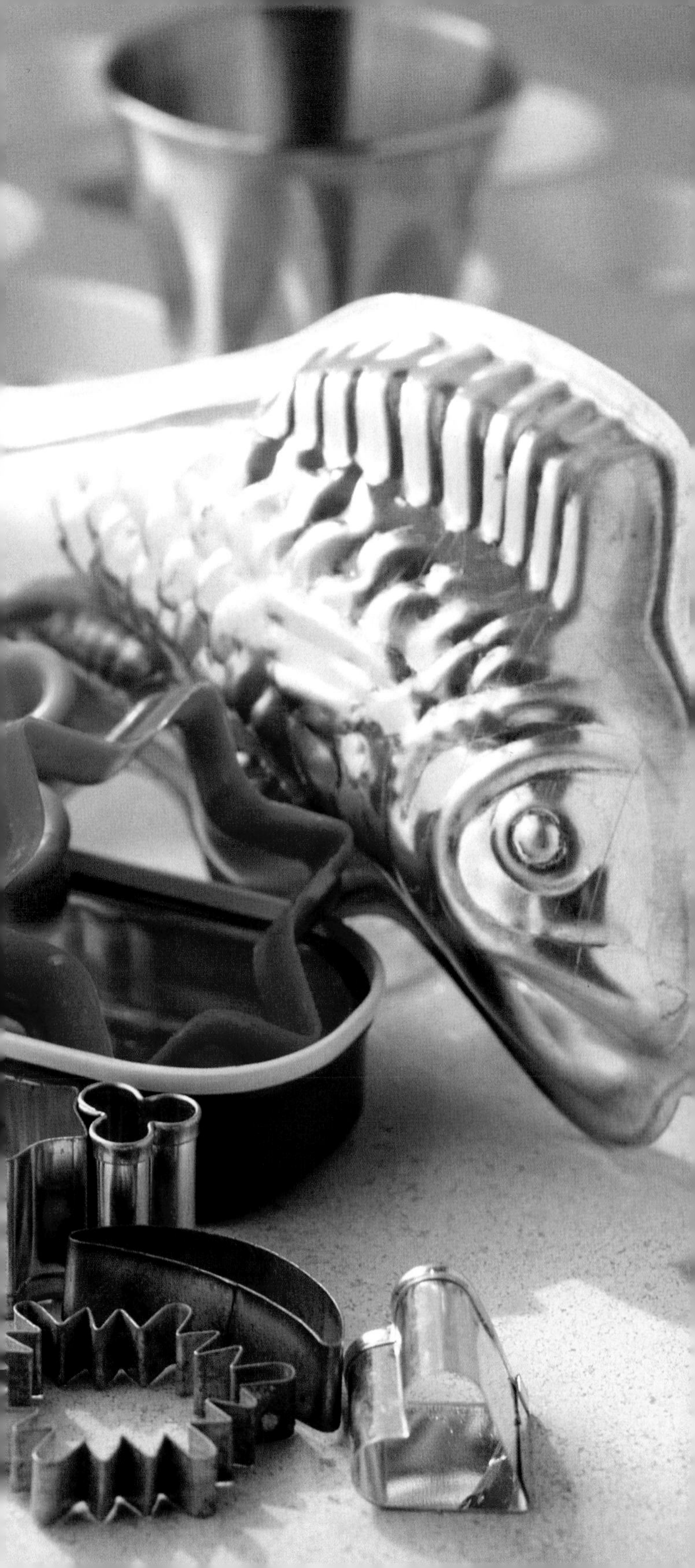

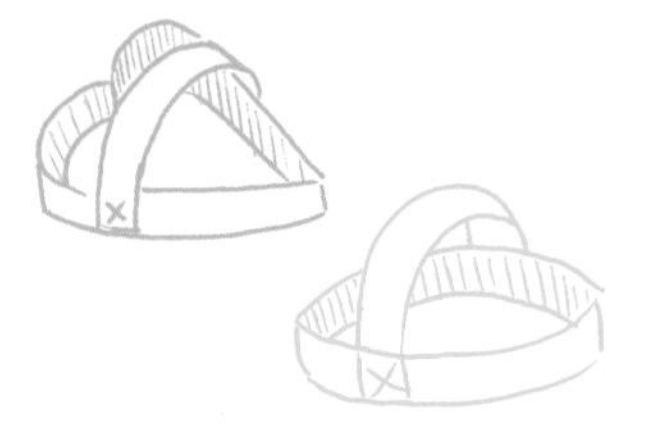

Les moules relèvent de deux catégories : les moules et tout ce qui peut servir de moules sans pour autant avoir été conçu à cet effet.

MOULES : si vous voulez un savon plus sophistiqué ou plus original, préférez les moules traditionnels. Vous pouvez trouver des moules pour savon dans les magasins de fournitures mais vous aurez plus de choix dans le rayon des moules à pâtisserie de votre supermarché. Quelle que soit la forme choisie, assurez-vous qu'elle n'est ni trop petite ni trop étroite car le savon vous glisserait immanquablement des mains.

La règle d'or – qui vaut également pour les moules moins traditionnels – est qu'il faut éviter l'aluminium, le zinc, le cuivre, le Téflon ou le fer qui s'altéreront au contact de la soude. La corrosion n'affecte pas nécessairement la qualité du savon mais l'efficacité ultérieure du moule. Les moules en céramique, inox, plastique, caoutchouc, grès, porcelaine ou verre sont parfaits pour les savons. Quel que soit le type de moule choisi, son matériau doit résister à la chaleur du savon liquide. En pratique, si le moule supporte une purée très chaude, tout ira bien.

Avant toute chose, préparez vos moules. Cela vous évitera de vous retrouver avec un savon liquide chaud prêt à être versé sans moule pour le recevoir.

Afin que le savon n'adhère pas au moule, vous devez le graisser avec un anti-adhérent de cuisine en aérosol ou de la graisse végétale. Vous pouvez également le recouvrir d'un film plastique ou d'un papier paraffiné. Assurez-vous par ailleurs que vos moules sont pour le moins à température ambiante lorsque vous y versez le savon liquide afin d'éviter tout choc thermique.

Lorsque le moule est rempli, recouvrez le savon liquide d'un film plastique. Cela minimisera le contact du savon avec l'air et réduira l'apparition de « cendre de soude » (*voir* Problèmes & Solutions, page 98).

TOUT CE QUI PEUT SERVIR DE MOULES MAIS QUI N'A PAS ÉTÉ CONÇU À CET EFFET :

Soyez créatif (ve) ! De nombreux savonniers préfèrent ces moules moins « classiques ». La plupart sont jetables, souples et très faciles à démouler. Si le savon ne sort pas, il vous suffit d'arracher le moule ou de le couper. Mais comme pour les moules traditionnels, il est primordial de s'assurer qu'ils supportent la chaleur du savon liquide.

Que ce moule soit en plastique, en caoutchouc ou en bois, il doit également être graissé. Le plastique, le caoutchouc, le verre, la céramique ou l'argile doivent être graissés à l'aide d'un anti-adhérent de cuisine en spray comme pour les moules à savon classiques.

Si votre moule est en carton ou en bois, vous devez également le protéger en appliquant sur le fond et les rebords un film plastique. Assurez-vous qu'aucune bulle d'air n'est prise entre le plastique et le moule. Vous pouvez également utiliser du papier paraffiné. Utilisez du scotch pour fixer le papier sur les bords du moule. Cette méthode facilite grandement le démoulage. Il vous suffit de tirer les bords du film plastique ou du papier paraffiné et le tour est joué !

Voici quelques suggestions
de moules non conventionnels :

- *moules à glaçon en plastique*
- *boîtes à chaussure*
- *boîtes en bois*
- *boîtes à chemise*
- *boîtes en carton épais*
- *récipient Tupperware*
- *brique de lait*
- *boîtes de thon ou de sardines (doublées d'un film plastique)*
- *moules en plastique pour pâtés de sable*
- *œufs de Pâques en plastique (qui se divisent en deux)*
- *pots de fleurs en argile*
- *récipients de conservation*
- *tuyau en PVC (disponible en droguerie) pour faire des savons qui ressemblent à des palets de hockey.*

Après avoir versé le savon liquide dans les moules, il est primordial de couvrir la surface d'un film plastique (ou d'un sac plastique) afin de minimiser la réaction chimique entre l'air et la soude contenue dans le savon. Le film plastique doit être tendu sur la surface du savon. Si vous utilisez un récipient de conservation en plastique avec couvercle, mettez le couvercle après avoir posé le film plastique sur le savon. À la place du plastique, vous pouvez également utiliser un morceau de bois ou un carton épais qui recouvre entièrement le moule.

La première étape de la période de séchage et d'isolation consiste à couvrir les moules d'une couverture ou de serviettes. Le savon doit refroidir de manière très régulière pour permettre au processus de saponification de se poursuivre. Si le savon refroidit trop vite, il sera fragile et s'émiettera facilement (*voir* Problèmes & solutions, page 98). Lors du refroidissement – qui peut durer de 16 à 24 heures en fonction des ingrédients utilisés – tout ce que vous devez faire, c'est attendre. Si vous ne résistez pas à la tentation de toucher le savon à ce stade – ce qui est déconseillé –, mettez des gants en caoutchouc car la saponification est encore active et la soude caustique.

Après cette première étape, découvrez les moules et laissez-les reposer dans un endroit sombre à l'abri des courants d'air pendant trois à six jours. Comme les savons ne durcissent pas tous au même rythme (les savons à base de cire d'abeille, par exemple, durcissent plus rapidement), il est conseillé de jeter un coup d'œil sur les savons

de temps à autre pour voir comment ils évoluent. N'oubliez pas de porter des gants en caoutchouc lorsque vous les examinez car la saponification n'est pas terminée.

Lorsque le savon est suffisamment ferme pour être découpé et qu'il garde sa forme, retirez-le du moule. N'attendez pas qu'il soit totalement dur sinon vous ne serez pas capable de le débiter. Si vous trouvez que la surface du savon est très liquide ou huileuse, vous avez sans doute un problème de séparation (*voir* Problèmes & solutions, page 98).

Si vous avez utilisé des moules individuels, le savon doit se démouler – comme lorsque vous démoulez des glaçons – en tapotant et tordant légèrement le moule. Si votre savon est suffisamment dur, il supportera ce traitement. Il arrive que, parfois, les moules même graissés se détachent mal, notamment avec des matériaux poreux comme la porcelaine ou l'argile. Dans ce cas, mettez le moule au congélateur une demi-heure. Le savon « transpirera » et se démoulera sans problème.

Si vous avez utilisé une boîte à chemise, à chaussure, un carton ou tout autre moule plus grand que le savon que vous voulez obtenir, vous allez devoir débiter votre pain en savonnettes. Si le moule vous importe peu, vous pouvez couper le savon directement au travers du moule puis le retirer aisément ; vous pouvez aussi démouler le pain de savon avant de le découper.

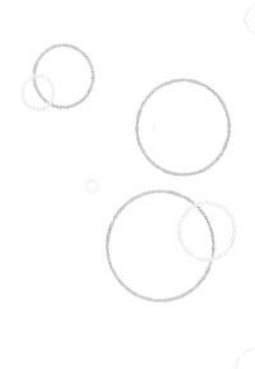

Avec un peu d'expérience et de bon sens, vous saurez reconnaître l'instant idéal pour démouler le savon, lorsqu'il a la consistance d'un gruyère. Si vous attendez trop, le savon sera trop dur et si vous le démoulez trop tôt, il ne se coupera pas bien.

Lorsque le savon est suffisamment dur pour être découpé, prenez une règle ou un gabarit et débitez le pain à l'aide d'un couteau aiguisé. Enlevez les aspérités et les angles irréguliers. Comme votre savon prendra sa forme définitive lors du vieillissement, il vaut mieux l'égaliser maintenant.

Très souvent, en séchant, le savon se couvre en surface d'une mince pellicule de poudre blanche appelée cendre de soude. Pas de panique ! C'est une réaction normale au contact de l'air. Il vous suffit de l'essuyer avec un chiffon humide – portez des gants ! –, de passer le savon sous l'eau froide et de l'essuyer ou de le gratter avec un couteau économe (si la cendre de soude vous paraît abondante, reportez-vous à la page 98 pour éviter ces désagréments lors de vos prochaines réalisations). Lorsqu'elles sont découpées et nettoyées, placez les savonnettes sur un papier paraffiné, un papier kraft ou une clayette – n'oubliez pas de toujours porter vos gants en caoutchouc.

Entreposez vos savons dans un endroit sombre et sec, à l'abri des courants d'air et des changements de température. Le vieillissement est la seconde étape du séchage – lors de la première étape, le savon refroidit sous une couverture ou des serviettes – et permet au pH du savon de se neutraliser. Ce séchage, qui dure de trois à quatre semaines, permet d'obtenir un savon dur et doux. Vers le milieu du processus de vieillissement, tournez les savons afin que les deux faces soient exposées de la même manière à l'air.

Félicitations ! Vous avez réussi vos premiers savons !

Savon recuit et recyclé

Lorsque vous avez fabriqué un savon selon le procédé à froid, la recuisson est un jeu d'enfant. Il suffit de râper du savon, de le faire fondre et de le remodeler.

La recuisson permet de créer un savon qui dure plus longtemps, qui est plus dur et plus lisse qu'un savon réalisé à froid. Cette méthode permet de s'essayer à l'art du savon lorsque l'on a un emploi du temps plus serré.

Le savon que vous râpez a déjà achevé son processus de saponification et de vieillissement. Par conséquent, l'un des nombreux avantages de la recuisson est de permettre l'ajout d'ingrédients de toutes sortes afin de personnaliser votre savon (huiles essentielles, lait, miel, farine d'avoine, colorants, thés, épices, fruits, etc.) sans vous soucier de savoir si cela risque d'avoir un impact sur la soude et le processus de saponification. Le traçage, la séparation, le caillage et le séchage ne font pas partie du vocabulaire de cette méthode.

La recuisson offre également l'énorme avantage de recycler une marmite de savon réalisée à froid. Si, pour une raison quelconque, votre savon à froid n'est pas comme vous le souhaitiez, vous pouvez le râper, le fondre et lui redonner une seconde vie.

Qui plus est, la recuisson permet de recycler les petits morceaux de savon qui ne sont pas agréables à utiliser. Conservez ces restes de savon dans un récipient et lorsque vous en avez environ 500 g, sortez votre râpe !

La recette pour recuire du savon est très simple et demande peu de matériel en dehors d'une râpe à fromage – ou d'un robot ménager – et d'une casserole à double fond. Il vous faut à peu près 340 ml de liquide (lait, thé ou eau) par livre de savon râpé.Il est conseillé d'utiliser une recette de base (*voir* Savon végétal, page 64).

Premièrement, préparez vos moules comme pour le procédé à froid, en appliquant un anti-adhérent de cuisine ou une graisse végétale. Dans une casserole à double fond, portez votre liquide (lait, babeurre, mélange eau et miel, infusion, eau nature, eau colorée) à une température de 76,5 à 82 °C. Ajoutez le savon râpé, doucement et régulièrement. Réduisez la chaleur afin que le liquide et le savon cuisent à feu très doux, en remuant de temps à autre jusqu'à ce que le savon soit fondu. Puis ajoutez vos ingrédients et additifs (farine d'avoine, épices, herbes, fleurs, farine de maïs, argile, café, algue, lanoline, beurre de cacao, huiles essentielles, huiles parfumées, etc.) et mélangez. Versez immédiatement dans les moules et couvrez d'un film plastique ; 24 heures après, enlevez le film et placez les moules dans un endroit sec à l'abri des courants d'air pendant trois à quatre semaines.

N'oubliez pas que les ingrédients ajoutés au mélange eau-savon râpé fondu modifieront la consistance et la texture définitive du savon. La quantité d'ingrédients utilisée est une question de goût personnel. En général, employez 14 ml d'huile essentielle ou parfumée par livre de savon râpé. Pour les matières sèches, ajoutez environ 1/2 tasse par livre de savon râpé.

Ce que j'appelle la méthode de la gelée mérite quelques explications : dans les pays anglo-saxons, l'un des desserts préférés des enfants est la gelée. Cet entremet sucré est très simple à préparer : il suffit de faire fondre des pastilles concentrées de gélatine colorée dans de l'eau, de verser dans un moule rigolo et de laisser prendre.

Pour ce savon, la méthode de la gelée reprend le même principe : faire fondre des morceaux de glycérine et verser le liquide dans un moule.

Cette technique offre de nombreux avantages : premièrement, elle est sans danger – plus de risque d'inhalation toxique ou de brûlure à cause de la soude. Elle permet d'utiliser n'importe quel moule – sous réserve qu'il soit résistant à la chaleur – car la glycérine n'est pas corrosive. Elle est très rapide et la satisfaction est quasiment immédiate. Il n'est nullement question de saponification, traçage, séchage ou vieillissement. Il suffit de faire fondre, verser, attendre que le tout durcisse et démouler. En outre, comme la glycérine est transparente, vous pouvez laisser libre cours à votre imagination pour personnaliser votre savon.

Préparez vos moules comme pour le procédé à froid en les graissant à l'aide d'un anti-adhérent de cuisine ou de graisse végétale. Après avoir coupé la glycérine en dés, placez-la dans une casserole à double fond et faites-la fondre. Retirez du feu. Ajoutez des ingrédients – pétales, colorants, huiles essentielles ou parfumées (environ 14 g par livre de glycérine), herbes, épices, noix de coco râpée, zeste de citron, etc. Versez dans les moules et laissez prendre dans un endroit sans courant d'air pendant 24 heures ou jusqu'à ce que le savon soit complètement dur avant de démouler.

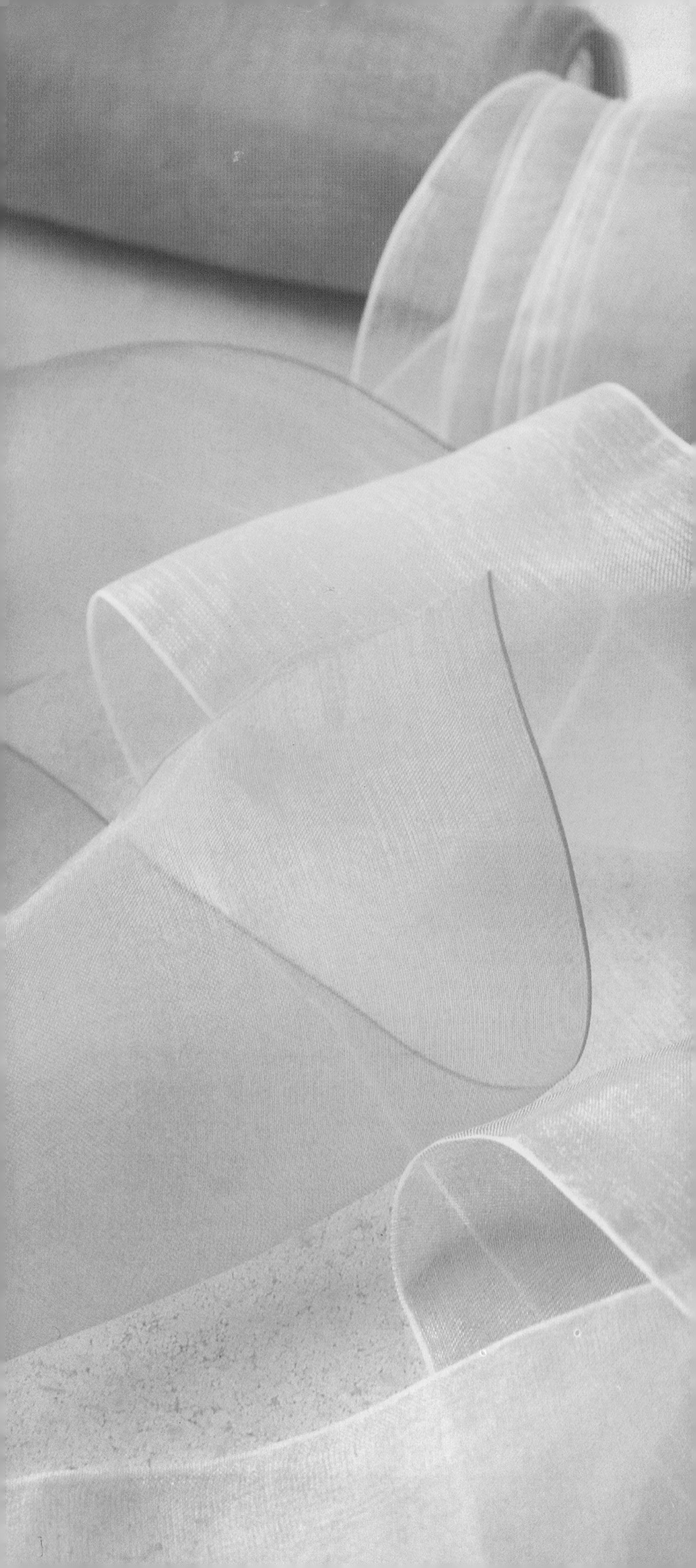

Décorer un savon est aussi amusant que le fabriquer. Cela permet de vraiment personnaliser vos savons et de laisser libre cours à votre imagination.

Des trésors cachés

La décoration peut intervenir à divers stades du processus de fabrication. Lorsque vous versez le savon dans les moules, vous pouvez enchâsser de petits objets, jouets d'enfant ou petits messages dans le savon. Remplissez le moule à moitié, déposez-y votre trésor au milieu et versez doucement le reste du liquide. Vous pouvez également glisser un objet ou un jouet dans un moule à l'aide d'une baguette en verre ou en bois ou d'un couteau – en ayant pensé à ne pas trop remplir le moule pour qu'il ne déborde pas. Cette technique donne de très beaux résultats avec la méthode de la gelée : la transparence du savon à la glycérine permet de voir ce qu'il contient. Les possibilités sont infinies mais voici quelques idées pour commencer :

- *petits messages*
- *accessoires Barbie™ en plastique*
- *animaux ou jouets en plastique*
- *grains de café*
- *fleurs séchées entières*
- *trèfles à quatre feuilles*
- *cannelle*
- *morceaux de vanille*
- *fruits séchés et noix*
- *breloques*
- *perles*

Empreinte & décalcomanies

Si vous voulez décorer la surface du savon en appliquant quelque chose ou en laissant une empreinte, vous devez le faire lors de la dernière étape du processus de vieillissement, avant que le savon soit complètement dur. Avec un peu de pratique, vous saurez reconnaître cet instant. Mais dans un premier temps, vous allez devoir régulièrement vérifier le savon pour voir s'il est prêt à recevoir votre sceau. Faites un essai sur une face du savon pour voir s'il est suffisamment dur et conserve l'empreinte.

Il existe plusieurs manières de faire une empreinte sur un savon. Vous pouvez utiliser des décors de pâtisserie ou des sceaux pour sceller le courrier à la cire par exemple qui confèrent au savon une note authentique. Graissez le timbre ou appliquez un aérosol anti-adhérent pour qu'il ne colle pas au savon et laisse une marque bien nette. Vous pouvez également presser un objet particulier sur la surface du savon à cet instant (comme une amande, une gousse de vanille ou un morceau de chocolat) pour un effet unique.

Les décalcomanies sont une autre manière amusante de caractériser vos savons. Leur application se fait après le séchage complet du savon. Pour ce faire, il vous suffit de coller une image, un dessin ou des mots à la surface du savon avec un peu de paraffine et d'huile minérale. Faites fondre un peu de paraffine dans une casserole à feu doux. Placez la décalcomanie (découpée dans un magazine, un catalogue, du papier cadeau, une carte, etc.) sur le savon et fixez-la en appliquant la paraffine à l'aide d'un pinceau. Lorsque la paraffine a durci, frottez doucement l'image avec un peu d'huile minérale pour enlever la couche de cire et faire ressortir la décalcomanie. Même si l'image part lorsque l'on utilise le savon, la décalcomanie fera toujours grande impression si vous offrez le savon.

Boules de savon

Faire des boules de savon est aussi simple que faire des boules de neige. Il suffit de rouler les boules de savon (avec des gants) après la première phase de séchage, lors du refroidissement, alors que le savon est encore tiède. Vous pouvez ensuite rouler les boules dans des copeaux de savon blanc (pour un effet boule de neige) ou dans de la farine d'avoine finement moulue, des fleurs de lavande, des plantes ou des pétales de rose séchés.

Il n'y a pas de règle d'or en matière d'emballage si ce n'est que les matériaux utilisés doivent permettre au savon de respirer (papier de soie, papier kraft, tissus ou bois par exemple). Si votre savon est très parfumé, enveloppez-le le plus vite possible dès qu'il est sec pour préserver son odeur. Le reste n'est qu'affaire de goût. Vous n'êtes pas tenu(e) d'emballer votre savon, à condition que vous le gardiez dans un endroit frais, sec et sombre.

L'emballage sera choisi en fonction de l'apparence que vous voulez donner au savon. La ficelle, les feuilles de banane, le raphia ou du papier parcheminé donnent un aspect naturel tandis que les rubans, les tissus imprimés et la soie confèrent une note sophistiquée au savon. Le papier de soie, la dentelle ou le tulle sont plus coquets et délicats. Vous découvrirez vite que les possibilités sont infinies et vous serez étonné(e) de ce que vous pourrez faire !

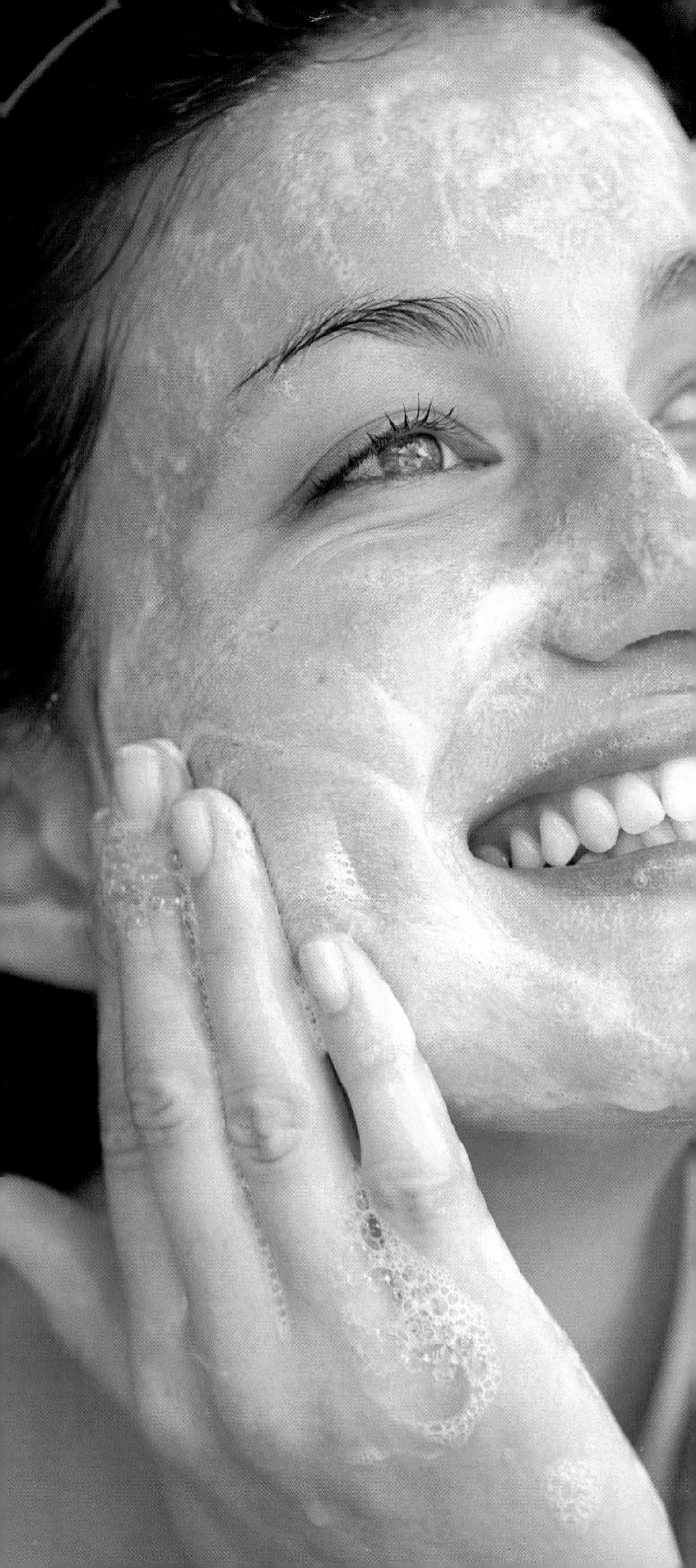

Recettes de savons

SAVON D'ÉTÉ AU CITRON

•

CANNELLE GINGEMBRE

•

MIEL VANILLE

•

BOIS DE ROSE & COCO

•

LAVANDE CITRON VERT

•

MIEL AMANDE & MUSCADE

•

CAFÉ FARINE D'AVOINE

•

CAMOMILLE & HUILE D'AMANDE DOUCE

•

CHOCOLAT AU LAIT

•

GÉRANIUM & BEURRE DE CACAO

•

HUILE D'OLIVE, GLYCÉRINE & VODKA

•

CITRON, CITRON VERT & COCO

•

ROMARIN LAVANDE

•

LOTION CIDRE DE POMME

•

LOTION CITRON PERSIL

•

PROBLÈMES & SOLUTIONS

•

QUELQUES FAITS

La plupart des recettes peuvent être réalisées à partir d'huiles végétales ou de graisses animales. Dans la mesure où les huiles végétales sont plus faciles à travailler, les recettes expliquées ici sont essentiellement à base d'huiles végétales. Une recette à base de graisses animales est également proposée mais ces dernières peuvent aisément être remplacées par des graisses végétales, selon votre préférence.

Toutes les mesures se rapportent à des masses.

Ces recettes permettent d'obtenir une dizaine de savonnettes, soit environ 1,4 kg de savon.

Savon à base de graisse végétale

Ce savon végétal blanc, blanc cassé est une base idéale pour réaliser des créations personnelles. Vous pouvez y ajouter des parfums, des colorants, des ingrédients solides et toutes sortes d'additifs sans craindre de modifier les propriétés purifiantes et hydratantes des savons.

L'huile d'olive – riche en minéraux, protéines et vitamines – donne un savon émollient et apaisant qui produit une mousse riche et fine. Cette huile, qui facilite le durcissement et le séchage du savon, est également une excellente base pour les huiles essentielles et parfumées. L'huile de coco, une huile inodore qui durcit à température ambiante, nettoie et mousse rapidement et est vite absorbée par la peau. La graisse végétale donne du corps au savon et réagit bien lors de la saponification. N'oubliez pas que vous pouvez personnaliser vos savons en remplaçant une ou plusieurs huiles par d'autres, après avoir vérifié le tableau de saponification (*voir* page 167) pour ajouter la quantité de soude correspondante.

ingrédients :

340 G D'HUILE DE COCO

340 G D'HUILE D'OLIVE

600 G DE GRAISSE VÉGÉTALE

1/2 L D'EAU, DE PRÉFÉRENCE DISTILLÉE ET À TEMPÉRATURE AMBIANTE

170 G DE SOUDE

- *Graissez les moules et réservez. Versez l'huile de coco, l'huile d'olive et la graisse végétale dans une grande marmite résistant à la chaleur et à la soude. Chauffez les graisses en remuant régulièrement pour bien répartir la chaleur. Lorsque les huiles ont atteint une température de 36 à 38 °C, retirez du feu.*
- *Versez l'eau dans un pot résistant à la soude, de préférence pourvu d'un bec verseur.*
- *Avec des gants en caoutchouc et des lunettes de protection, mesurez la soude et versez-la doucement dans l'eau.*
- *Remuez constamment et doucement avec une cuillère en inox ou en bois jusqu'à dissolution totale de la soude.*
- *Lorsque la lessive est à 36 à 38 °C (température identique au mélange des graisses), versez la lessive dans les huiles*

en un petit filet régulier en remuant de temps en temps. (Pour modifier la température des huiles et ou du mélange eau-soude, voir *Contrôle de la température, page 32).*

- *Brassez constamment le mélange, en douceur. Il n'est pas nécessaire de l'aérer – sauf si l'on veut que le savon flotte.*
- *10 à 15 minutes plus tard, la trace doit apparaître, c'est-à-dire que le mélange s'est opacifié, épaissi. Si vous soulevez la cuillère dans la marmite, le savon liquide coule et laisse une trace à la surface du mélange. Si au bout de 45 minutes à une heure, le traçage n'a toujours pas commencé, vous avez peut-êre commis une erreur dans vos mesures* (voir *Problèmes et solutions, page 98).*
- *À ce stade, le mélange peut êre versé dans les moules, directement ou à l'aide d'une louche. Recouvrez les moules d'un film plastique (ou d'un couvercle), posez une couverture ou des serviettes sur les moules et placez-les dans un endroit à l'abri des courants d'air. Laissez reposer 48 heures.*
- *48 heures plus tard, découvrez les moules et, munis de gants en caoutchouc (n'oubliez pas que la soude est encore caustique, ne touchez pas le savon à mains nues), touchez doucement la surface du savon. Si le savon est encore très tendre, recouvrez-le et laissez-le jusqu'au lendemain. Si le savon est ferme (mais garde la marque de votre doigt), retirez le savon du moule et coupez-le en savonnettes (le cas échéant). Enlevez les aspérités et placez les savonnettes sur une clayette ; nettoyez la planche à découper ou le film plastique.*
- *Si vous avez utilisé des moules individuels, il vous suffit d'attendre trois semaines afin que le vieillissement du savon soit achevé. Si vous avez pris un grand moule et prévoyez de débiter le pain en morceaux, commencez à vérifier le savon au bout d'une semaine.*
- *Lorsque le savon est découpé, placez-le sur une clayette, une planche à découper, un film plastique ou du papier paraffiné et laissez sécher deux semaines et demie à l'air libre jusqu'à ce que la surface du savon soit très dure au toucher. Grattez l'excédent de cendre de soude en surface à l'aide d'un couteau. Votre savon est prêt !*

Savon à base de graisse animale

La graisse animale donne un savon doux plus dur qui dure plus longtemps qu'un savon végétal. Avec la graisse animale, et en particulier le suif, le traçage apparaît vite et le savon sèche rapidement. Convenant à de multiples usages, le savon se mélange bien aux additifs et possède une mousse douce et crémeuse. Il est parfait pour les savonniers en herbe. Pour éviter les grumeaux ou la décoloration, assurez-vous que le suif est parfaitement propre.

Ingrédients :

70 G DE GRAISSE DE BŒUF

1/2 L D'EAU, DE PRÉFÉRENCE DISTILLÉE ET À TEMPÉRATURE AMBIANTE

160 G DE SOUDE

INSTRUCTIONS :

- *Graissez les moules et réservez.*
- *Mettez le suif dans une grande marmite résistant à la soude et à la chaleur, remuez de temps en temps et portez à une température de 49 à 52 °C.*
- *Versez l'eau dans un pot résistant à la soude, de préférence muni d'un bec verseur.*
- *Avec des gants en caoutchouc et des lunettes de protection, mesurez la soude et versez-la doucement dans l'eau.*
- *Remuez constamment et doucement avec une cuillère en inox ou en bois jusqu'à dissolution totale de la soude.*
- *Lorsque la lessive est à la même température que le suif (entre 49 et 52 °C), versez-la progressivement dans la graisse en un mince filet régulier, en remuant de temps en temps.*
  Voir recette du savon à base de graisse végétale page 64 pour les instructions sur la saponification, le traçage, le refroidissement et le vieillissement.

Créations personnelles

Savon d'été au citron

Ce savon a une merveilleuse odeur fraîche et revigorante qui le rend parfait pour les matins d'été. Il a une consistance ferme, une mousse riche et une teinte dorée grâce à la cire d'abeille.

Ingrédients :

INGRÉDIENTS POUR UN SAVON VÉGÉTAL
60 G DE CIRE D'ABEILLE
15 GOUTTES D'HUILE ESSENTIELLE D'ORANGE
10 GOUTTES D'HUILE ESSENTIELLE DE CITRON VERT OU DE CITRON
1/4 DE TASSE DE ZESTE DE CITRON VERT FINEMENT RÂPÉ
1/2 TASSE DE ZESTE DE CITRON OU D'ORANGE FINEMENT RÂPÉ

- *Suivez les instructions pour réaliser un savon végétal, en ajoutant la cire d'abeille aux huiles et à la graisse végétale pour qu'elles se mélangent en chauffant avant d'incorporer la lessive.*
- *Dès que le traçage du mélange savonneux commence, ajoutez rapidement les huiles essentielles et les zestes d'agrumes.*
- *Remuez jusqu'à ce que les ingrédients soient bien mélangés.*
- *Versez le mélange dans des moules graissés et recouvrez d'une couverture ou d'une serviette.*
- *Suivez les instructions du séchage et du vieillissement (voir Prise, refroidissement et vieillissement).*

N'OUBLIEZ PAS D'ÉTIQUETER VOTRE SAVON
LORSQU'IL EST DANS LE MOULE.
NOTEZ LA DATE DE FABRICATION,
LA DATE DE FIN DU VIEILLISSEMENT
ET LES INGRÉDIENTS UTILISÉS.

Savon à la cannelle et au gingembre

Ce savon, tonifiant, est joliment constellé de petites taches brunes dues à la cannelle. Le gingembre produit une sensation de chaleur sur la peau mais ne convient pas aux peaux sensibles ou irritées.

Ingrédients :

Ingrédients pour un savon végétal
1 cuil. à café de cannelle en poudre
2 cuil. à soupe de gingembre finement râpé
15 g d'huile essentielle de gingembre

- *Suivez les instructions pour réaliser un savon végétal.*
- *Dès que le traçage du mélange savonneux commence, ajoutez la cannelle, le gingembre et l'huile essentielle de gingembre.*
- *Remuez jusqu'à ce que tout soit bien mélangé et versez dans des moules graissés. Suivez les instructions du séchage et du vieillissement (voir Prise, refroidissement et vieillissement).*

Les savons parfumés doivent être enveloppés pour éviter que les huiles essentielles se dissipent et s'évaporent.

Savon apaisant au miel et à la vanille

Apaisant et hydratant pour la peau, ce savon a un délicieux parfum de miel et de vanille qui vous donnera envie de le manger au petit déjeuner. La cire d'abeille donne une teinte dorée et chaude au savon.

Ingrédients :

Ingrédients pour réaliser un savon végétal
60 g d'huile d'amande douce
170 g de cire d'abeille
30 g de miel (légèrement chauffé)
60 g d'huile essentielle de vanille

- *Suivez les instructions pour réaliser un savon végétal, en ajoutant la cire d'abeille aux huiles et à la graisse végétale pour qu'elles se mélangent en chauffant.*
- *Dès que le traçage du mélange savonneux commence, ajoutez l'huile d'amande douce, l'huile essentielle de vanille et le miel.*
- *Remuez bien et versez dans des moules.*
- *Suivez les instructions du séchage et du vieillissement (voir Prise, refroidissement et vieillissement).*

Les proportions peuvent être doublées ou triplées, à condition d'ajuster précisément les mesures.

Savon doux au bois de rose et coco

L'huile essentielle de bois de rose est connue pour ses propriétés calmantes et anti-stress. Elle a également une agréable odeur épicée qui se marie bien à la douceur subtile de la noix de coco. Ce savon est idéal pour tous les types de peaux et à tout instant de la journée.

Ingrédients :

INGRÉDIENTS POUR RÉALISER UN SAVON VÉGÉTAL
2 CUIL. À SOUPE DE NOIX DE COCO FINEMENT RÂPÉE
85 G D'HUILE ESSENTIELLE DE BOIS DE ROSE

- *Suivez les instructions pour réaliser un savon végétal.*
- *Dès que le traçage du mélange savonneux commence, ajoutez l'huile essentielle et la noix de coco râpée.*
- *Versez dans les moules.*
- *Suivez les instructions du séchage et du vieillissement (voir Prise, refroidissement et vieillissement).*

NE PLACEZ PAS PLUS DE DEUX PAINS DE SAVONS SOUS UNE MÊME COUVERTURE OU SERVIETTE EN MÊME TEMPS ; LA RÉPARTITION INÉGALE DE LA CHALEUR POUR LES PAINS DU CENTRE RISQUERAIT DE LES CAILLER.

Savon purifiant à la lavande et au citron vert

Surnommée essence universelle en raison de ses bienfaits, l'essence de lavande apaisera et soulagera les peaux irritées. Son odeur nette et florale est équilibrante et calmante. Associé à la fraîcheur du citron vert, ce savon est parfait pour les douches ou les bains matinaux. Le zeste et les fleurs de lavande lui donnent une belle couleur.

Ingrédients :

INGRÉDIENTS POUR RÉALISER UN SAVON VÉGÉTAL
30 G D'HUILE ESSENTIELLE DE LAVANDE
30 G D'HUILE ESSENTIELLE DE CITRON VERT
2 CUIL. À SOUPE DE ZESTE DE CITRON VERT FINEMENT RÂPÉ
2 CUIL. À SOUPE DE LAVANDE SÉCHÉE FINEMENT RÂPÉE
50 G DE CHLOROPHYLLE LIQUIDE (POUR LA COULEUR)

- *Suivez les instructions pour réaliser un savon végétal.*
- *Dès que le traçage du mélange savonneux commence, ajoutez la chlorophylle liquide et mélangez bien. Puis ajoutez les huiles essentielles, le zeste de citron vert et la lavande séchée.*
- *Mélangez et versez dans les moules. Suivez les instructions du séchage et du vieillissement (voir Prise, refroidissement et vieillissement).*

NOTEZ TOUJOURS VOS MESURES ET VOS INGRÉDIENTS. VOUS AUREZ PEUT-ÊTRE BESOIN DE VOUS Y RÉFÉRER À UN MOMENT DONNÉ.

Savon hydratant au miel, à l'amande et à la muscade

Ce savon a une double fonction : exfoliant doux et hydratant pour la peau. Les amandes finement moulues servent d'exfoliants pour enlever en douceur les cellules mortes de la peau tandis que le miel hydrate la peau et enrichit la texture du pain. L'huile d'amande douce donne une mousse agréable et la cannelle ajoute une touche de couleur. La muscade, en huile essentielle, est revigorante et réconfortante. On lui confère même des vertus aphrodisiaques. Le savon obtenu est très parfumé, avec une note de noix et de miel.

Ingrédients :

Ingrédients pour réaliser un savon végétal
120 g de cire d'abeille
2 cuil. à soupe d'amande finement râpée
1 cuil. à café de cannelle finement râpée
30 g d'huile d'amande douce
30 g de miel (légèrement chauffé)
30 g d'huile essentielle de muscade

- *Suivez les instructions pour réaliser un savon végétal, en ajoutant la cire d'abeille aux huiles et à la graisse végétale pour qu'elles se mélangent en chauffant avant d'incorporer la lessive.*

- *Dès que le traçage du mélange savonneux commence, ajoutez rapidement l'huile essentielle, l'huile d'amande douce, la poudre d'amande, le miel et la cannelle. Remuez jusqu'à ce que les ingrédients soient bien mélangés. Versez le mélange dans des moules graissés et recouvrez d'une couverture ou d'une serviette.*

- *Suivez les instructions du séchage et du vieillissement (voir Prise, refroidissement et vieillissement).*

Savon multi-usage au café et à la farine d'avoine

L'association du café et de l'avoine rend ce savon parfait pour la cuisine. Le café moulu lui donne une riche couleur brune tachetée et un arôme délicieux. Il aidera également à faire disparaître de vos mains des odeurs de cuisine tenaces (oignons ou poisson). La farine d'avoine adoucira les mains irritées ou abîmées. Bien que cette recette soit à base de graisse animale pour donner un savon plus dur qui dure plus longtemps, le savon peut être réalisé avec des huiles végétales pour un savon plus doux et une mousse plus riche.

Ingrédients :

Ingrédients pour réaliser un savon à base de graisse animale

4 cuil. à soupe de café finement moulu

4 cuil. à soupe de farine d'avoine moulue

- *Suivez les instructions pour réaliser un savon à base de graisse animale.*
- *Dès que le traçage du mélange savonneux commence, ajoutez le café moulu et la farine d'avoine.*
- *Remuez pour bien mélanger et versez dans les moules. Suivez les instructions du séchage et du vieillissement (voir Prise, refroidissement et vieillissement).*

Si vous utilisez de la graisse animale, elle doit être exempte de saleté, de sel et autres impuretés. Elle doit également être fraîche sinon elle donnera au produit final une très désagréable odeur rance.

Savon à la camomille et à l'huile d'amande douce

La camomille séchée a des vertus relaxantes et calmantes. Dans un savon, elle soulage les peaux sèches et sensibles et agit comme un astringent doux. L'huile d'amande douce accroît les propriétés hydratantes du savon. Ce savon est parfait pour le bain.

Ingrédients :

Ingrédients pour réaliser un savon végétal
60 g d'huile d'amande douce
60 g de fleurs de camomille séchées
30 g d'huile essentielle de camomille
1 cuil. à café de paprika (pour la couleur)

- *Suivez les instructions pour réaliser un savon végétal, page 64.*
- *Dès que le traçage du mélange savonneux commence, ajoutez l'huile d'amande douce et l'huile essentielle de camomille. Mélangez bien.*
- *Ajoutez peu à peu les fleurs de camomille séchées et le paprika tout en remuant. Versez dans les moules.*
- *Suivez les instructions du séchage et du vieillissement (voir Prise, refroidissement et vieillissement).*

Lorsque vous réalisez un savon à base d'herbes, vous pouvez remplacer l'eau par une tisane.

Savon au chocolat au lait

Le rêve de tout chocolamaniaque ! Le chocolat à cuire donnera à ce savon une couleur crémeuse légèrement marron et un délicieux arôme qui retiendra les enfants – et les adultes – dans le bain !

Ingrédients :

Ingrédients pour réaliser un savon à base de graisse animale, mais réduire la quantité d'eau à 400 g (au lieu de 450 g)
15 g de chocolat à cuire
60 g de lait
(lait de vache, de chèvre, babeurre)

- *Suivez les instructions pour réaliser un savon à base de graisse animale, en incorporant le chocolat à la graisse. Mélangez le lait et l'eau avant d'ajouter la soude.*

- *Versez dans les moules.*

- *Suivez les instructions du séchage et du vieillissement (voir Prise, refroidissement et vieillissement).*

Si vous voulez que votre savon flotte, incorporez de l'air dans le mélange lorsqu'il s'épaissit avant de le verser dans les moules.

Savon apaisant au géranium et au beurre de cacao

Le beurre de cacao, extrait des fèves du cacaoyer, est un riche émollient qui adoucit et protège la peau. Il améliore également la texture du savon en le rendant plus crémeux et plus dur. L'huile d'avocat, qui a une teneur élevée en vitamines A, D et E, ainsi qu'en acides aminés et protéines, est un hydratant efficace. L'huile essentielle de géranium a une légère odeur de rose, citron et menthe très apaisante. Les pétales confèrent une couleur et une texture uniques au savon.

Ingrédients :

Ingrédients pour réaliser un savon végétal
60 g de beurre de cacao
30 g d'huile essentielle de géranium
1 cuil. à soupe de pétales de géranium séchés
30 g d'huile d'avocat

- *Suivez les instructions pour réaliser un savon végétal, page 64, en ajoutant l'huile d'avocat et le beurre de cacao aux graisses végétales pour qu'elles se mélangent en chauffant avant d'incorporer la lessive.*
- *Dès que le traçage du mélange savonneux commence, ajoutez les pétales de géranium et l'huile essentielle de géranium en mélangeant bien.*
- *Suivez les instructions du séchage et du vieillissement (voir pages 46-49).*

Les savons colorés pâliront en prenant et en refroidissant.

Savon reconstituant à l'huile d'olive, à la glycérine et à la vodka

La glycérine est un émollient naturellement présent dans les graisses animales et végétales. Ce savon est particulièrement facile et rapide à réaliser. Lorsque la glycérine est fondue, vous pouvez ajouter sans crainte les huiles essentielles, les fleurs séchées, les herbes, les épices et le colorant. Le sucre et la vodka accentuent la transparence du savon et permettent toutes sortes de décoration.

Ingrédients :

400 g de suif
225 g d'huile de coco
170 g d'huile d'olive
115 g d'huile de palme
320 ml d'eau, distillée de préférence et à température ambiante
130 g de soude
30 g d'huile essentielle de votre choix

Ingrédients pour un savon plus transparent :

60 g de sucre
3/4 de litre d'eau, de préférence distillée et à température ambiante
60 g de glycérine
120 g de vodka

• Mettez le suif et les huiles (à l'exception de l'huile essentielle) dans une grande marmite résistant à la soude et chauffez jusqu'à une température de 50 à 57 °C. Retirez du feu.

• Mesurez 310 g d'eau et versez-la dans un pot résistant à la soude avec bec verseur. Mesurez la soude et ajoutez doucement à l'eau. Remuez jusqu'à ce que la soude soit dissoute et portez à une température de 50 à 57 °C (mêmes températures que le mélange d'huiles).

• Ajoutez doucement la lessive au mélange graisse-huile et remuez régulièrement pendant 20 à 25 minutes jusqu'au traçage. Ajoutez l'huile essentielle et versez dans des moules graissés. Couvrez les moules d'une couverture ou de serviettes et placez-les dans un endroit sans courant d'air pendant 24 heures ou jusqu'à ce que le savon soit ferme au toucher.

• Retirez le savon des moules, coupez-le en morceaux et laissez-le vieillir, à découvert et dans un endroit sans courant d'air pendant deux semaines.

• Versez le sucre dans un bol et réservez. Râpez finement 230 g de savon obtenu et faites doucement fondre au bain-marie. Ajoutez doucement 60 g d'eau (réservez-en 30 g), sucre et glycérine. Remuez régulièrement jusqu'à ce que le savon épaississe. Ajoutez doucement la vodka tout en remuant à basse température.

• Ajoutez 30 g d'eau chauffée dans le bol de sucre et remuez. Ajoutez ce mélange au savon et remuez pendant 35 minutes jusqu'à ce que le savon épaississe. Versez le savon dans des moules et mettez au congélateur une heure. Retirez du congélateur, démoulez et posez sur une clayette, du papier paraffiné ou un film plastique et conservez dans un endroit sans courant d'air pendant deux semaines.

• Vous pouvez alors profiter de votre savon !

Savon au citron, citron vert et coco

Lorsque vous aurez essayé un savon pour les cheveux, vous ne voudrez plus de shampooing. Ce savon est parfait pour les cheveux fins et délicats. Les huiles d'agrumes nettoient les cheveux et l'huile d'olive leur assure douceur et brillance tandis que le jaune d'œuf les nourrit. Le citron et le citron vert laissent une incroyable odeur fraîche.

Ingrédients :

850 G D'HUILE D'OLIVE
2 CUIL. À SOUPE D'HUILE DE COCO
60 G DE CIRE D'ABEILLE
1 JAUNE D'ŒUF
30 G D'HUILE ESSENTIELLE DE CITRON VERT
30 G D'HUILE ESSENTIELLE DE CITRON
2 CUIL. À SOUPE DE NOIX DE COCO FINEMENT RÂPÉE

- *Mesurez 30 g d'huile d'olive et réservez le reste. Mélangez ces 30 g d'huile d'olive au jaune d'œuf. Dans une marmite résistant à la soude et à la chaleur, mélangez la cire d'abeille, l'huile d'olive (820 g) et l'huile de coco. Ajoutez la noix de coco râpée. Lorsque la température atteint 50 °C, retirez la marmite du feu.*

- *Mesurez l'eau et versez-la dans un pot résistant à la soude muni d'un bec verseur. Mesurez la soude et ajoutez doucement l'eau, en remuant régulièrement jusqu'à dissolution de la soude.*

- *Lorsque la lessive est à la même température que les huiles (entre 50 et 57 °C), versez-la dans les huiles jusqu'à ce que survienne la trace (environ 30 minutes). Incorporez le mélange huile d'olive-jaune d'œuf et mélangez. Ajoutez les huiles essentielles de citron et citron vert, versez dans les moules, couvrez d'une couverture ou serviette et conservez dans un endroit sans courant d'air pendant 24 heures ou jusqu'à ce que le savon soit ferme au toucher. Retirez le savon des moules, placez-le sur une clayette et découpez-le en morceaux. Conservez à découvert dans un endroit sans courant d'air pendant quatre semaines.*

Savon au romarin et à la lavande

L'huile essentielle de romarin est connue pour ses propriétés purifiantes et calmantes, notamment pour les maux de tête et la fatigue chronique. L'huile pénètre le cuir chevelu, stimule la circulation et revigore. La lavande, appréciée pour ses vertus antiseptiques et antibactériennes, donne au savon un agréable parfum. Les huiles de jojoba et d'amande douce sont d'excellents soins. Ce savon peut être utilisé aussi bien pour les cheveux que pour le corps.

Ingrédients :

280 g d'huile de coco
570 g d'huile d'olive
120 g d'huile d'amande douce
120 g d'huile de jojoba
1/2 l d'eau, de préférence distillée
et à température ambiante
160 g de soude
30 g d'huile essentielle de lavande
30 g d'huile essentielle de romarin

- *Suivez les instructions pour réaliser un savon végétal. Dès que la trace apparaît, ajoutez les huiles essentielles de lavande et de romarin.*

- *Suivez les instructions du séchage et du vieillissement (Voir Prise, refroidissement et vieillissement).*

Lotions capillaires

Ces lotions sont incroyablement simples à réaliser et très efficaces pour redonner aux cheveux leur équilibre pH naturel et enlever toutes les impuretés qui les rendent ternes, plats et sans vie. Utilisez une lotion une fois par semaine, après avoir appliqué un soin sur vos cheveux et rincez abondamment à l'eau fraîche.

Lotion au cidre de pomme

Ingrédients :

60 G DE VINAIGRE DE CIDRE DE POMME

1/4 DE L D'EAU

- *Dans un petit bol ou un pot, mélangez le vinaigre de cidre de pomme et l'eau.*

VERSEZ DOUCEMENT LA LOTION SUR VOS CHEVEUX APRÈS LES AVOIR LAVÉS ET AVOIR APPLIQUÉ UN SOIN. GARDEZ LES YEUX FERMÉS CAR L'ACIDITÉ DE LA LOTION RISQUE DE VOUS BRÛLER. RINCEZ ABONDAMMENT. TERMINEZ PAR UN RINÇAGE AVEC UNE EAU AUSSI FROIDE QUE POSSIBLE.

Lotion au persil et au citron

Ingrédients :

1 JUS DE CITRON

60 G DE PERSIL FINEMENT HACHÉ

(POUR PLUS DE BRILLANCE)

1/4 DE L D'EAU

- *Portez l'eau à ébullition, ajoutez le persil et laissez infuser pendant cinq minutes. Filtrez.*

- *Ajoutez le jus de citron au persil et à l'eau et laissez refroidir.*

VERSEZ DOUCEMENT LA LOTION SUR VOS CHEVEUX APRÈS LES AVOIR LAVÉS ET AVOIR APPLIQUÉ UN SOIN. GARDEZ LES YEUX FERMÉS CAR L'ACIDITÉ DE LA LOTION RISQUE DE VOUS BRÛLER. RINCEZ ABONDAMMENT. TERMINEZ PAR UN RINÇAGE AVEC UNE EAU AUSSI FROIDE QUE POSSIBLE.

Même le plus précis des savonniers peut rencontrer des problèmes en cours de route ou obtenir un résultat inattendu. En vous familiarisant avec l'art de fabriquer du savon, vous serez en mesure d'identifier les problèmes avant qu'il soit trop tard. Voici quelques problèmes fréquents qui peuvent surgir – et quelques solutions pour y remédier.

Le savon ne sort pas du moule :

- Si vous n'arrivez pas à extraire le savon du moule, mettez-le une heure au congélateur. Le savon « transpirera » (l'eau du savon remonte à la surface) et sortira sans problème. *Voir* page 43 pour le graissage des moules.

Le traçage ne survient pas :

- Si vos mesures étaient correctes, le traçage doit survenir – en fin de compte. Soyez patient(e) et n'arrêtez pas de remuer. Si aucune trace n'apparaît au bout d'une heure et demie, il y a un problème avec la lessive (pas assez de soude ou trop d'eau). Dans ce cas, jetez le mélange et recommencez.

Le mélange est granuleux :

- La présence de grains indique que la température n'a pas été respectée ou que le brassage a été insuffisant ou irrégulier. Quoiqu'il en soit, ces grains sont sans danger et le savon peut être utilisé ainsi.

Des bulles d'air se forment dans le savon dur :

- Ces bulles sont le résultat d'un brassage trop énergique. Elles peuvent contenir un liquide très concentré en soude. Si les bulles ne contiennent que de l'air, vous pouvez utiliser le savon – il aura même tendance à flotter. Sinon, jetez le savon.

Des grumeaux blancs apparaissent dans le savon dur :

- Si la quantité de soude a été trop importante ou si le brassage a été insuffisant, des grumeaux de soude se forment dans le savon. Jetez-le et recommencez.

À l'état liquide, le savon a l'aspect du lait caillé :

- Le caillage est le résultat de mesures inexactes, d'une quantité trop importante de soude ou d'un refroidissement trop rapide. Bien qu'il soit possible de récupérer le savon, notamment si le caillage est dû à un refroidissement trop rapide, épargnez-vous des tracas et jetez la préparation.

Le savon dur sent mauvais :

- Si le savon est rance, vous avez sans doute utilisé trop de graisse animale ou une graisse qui n'était pas fraîche. Cette odeur ne partira pas et ira de mal en pis. Si cela vous dégoûte, jetez le savon.

Après avoir versé le savon, l'huile remonte en surface :

- La séparation indique que soit vos mesures étaient inexactes, soit vous avez commis une erreur en cours de route, soit le mélange contient trop de soude. Quoi qu'il en soit, vous n'avez plus qu'à recommencer.

Une fine substance grasse apparaît à la surface du savon lorsqu'il commence à durcir :

- Généralement, cela est dû aux huiles essentielles ajoutées qui remontent en surface. Elles se dissoudront lorsque le savon aura totalement pris.

Le savon est friable, craquant et sec :

- Soit le savon a pris trop vite et le refroidissement a été trop rapide (couvrez bien les savons de couvertures ou de serviettes après avoir rempli les moules), soit le brassage a été trop long ou encore le mélange contenait trop de soude. Vérifiez vos mesures.

Le savon ne prend pas :

- Si, après quelques jours, le savon n'est pas dur, il y a probablement trop d'eau dans le mélange ou pas assez de soude. Soyez patient(e) et laissez-le dans le moule. Si vos mesures étaient exactes, le savon finira par durcir. N'oubliez pas : les savons à base d'huile végétale restent plus souples que les savons à base de graisses animales.

Le savon est marbré :

- Les marbrures indiquent que le mélange n'a pas été assez brassé lors de la saponification. Cela est sans danger et le savon est utilisable.

Une pellicule blanche apparaît sur le savon sec :

- Cette poudre blanche inoffensive, due au contact de l'air et du savon, est de la « cendre de soude ». Grattez-la avec un couteau avant d'emballer le savon. Vous pouvez également la laver à l'eau courante et laissez sécher. Vous éviterez son apparition en enveloppant le savon dans un film plastique ou du papier paraffiné après l'avoir versé dans les moules et en l'appliquant contre la surface du savon.

QUELQUES FAITS

- Le terme savon vient du mont Sapo où des animaux étaient sacrifiés. Les eaux de pluie emportaient les graisses animales et les cendres de bois et les transformaient en substance savonneuse.

- Au VIIIe siècle, les Italiens et les Espagnols utilisaient une substance à base de graisse de chèvre et de cendres de bois, semblable au savon.

- Les Anglais commencèrent à fabriquer du savon durant le XIIe siècle.

- Lorsque les premiers programmes radio se firent entendre sur les ondes en Amérique du Nord, de nombreux industriels saisirent l'occasion de promouvoir leurs produits. Les savonniers parrainèrent ainsi des émissions quotidiennes s'adressant aux ménagères et rapidement surnommées « soap operas ».

- Les vestiges d'une usine de savon ainsi que des pains de savon ont été mis au jour à Pompéi.

- Les Grecs et les Romains se lavaient en se frottant avec du sable et des olives.

- Les détergents diffèrent du savon car ils sont à base de distillats de pétrole et non de graisses ou d'huiles.

SECONDE PARTIE

Les parfums

Une histoire de parfum

Le parfum, en tant qu'art et concept, charme nos sens depuis des siècles. Des objets datant du quatrième millénaire avant notre ère donnent un aperçu du rôle tenu par le parfum dans les civilisations antiques. Utilisé pour parfumer la nourriture, embaumer ou momifier les corps, à des fins médicinales ou pour envoyer des messages aux dieux, le parfum a eu un impact incroyable sur les hommes. Il a facilité l'expression de la spiritualité et de la religion, développé le commerce – la plupart des matières premières, épices et herbes aromatiques, étaient importées d'Arabie, Perse, Chine et Inde – et ébranlé des empires par sa nature séductrice.

Le mot parfum vient du latin *per fumum* qui signifie « par la fumée ». Dans l'Égypte antique, un encens appelé kyphi était un parfum sacré brûlé dans les temples au crépuscule et dans les habitations la nuit. Cet encens était une substance pâteuse faite de diverses gommes et résines, plantes aromatiques, miel, vin et raisins.

Les Égyptiens puis les Grecs et les Romains ont utilisé les parfums et les huiles à des fins d'hygiène personnelle en les appliquant comme baume après le bain. Les Arabes ont développé, notamment lors de l'âge d'or de leur civilisation (du VIIIe au Xe siècles) des méthodes perfectionnées de distillation et de fabrication. Ils ont également introduit des mélanges insolites composés de fruits, fleurs et herbes ainsi que de fragrances animales telles que le musc, l'ambre gris et la civette. Mais il fallut attendre la Renaissance pour que le parfum fût synonyme d'humeur et suscite certaines réponses comportementales.

Le premier parfum à base d'alcool, ancêtre du parfum actuel, a vu le jour vers 1360. L'eau de Hongrie, créée pour la reine Élisabeth

de Hongrie, fut l'une des premières eaux de toilette à être mise au point. Déclinée en différentes versions, sa recette charme encore la femme d'aujourd'hui. L'eau de Hongrie contenait du romarin, de la marjolaine et de la menthe pouliot distillés dans de l'alcool de vin. On raconte que la reine lui devait sa beauté et sa jeunesse.

Au XVIe siècle, l'industrie des parfums a rebondi avec la création des gants parfumés. Des gants de cuir parfumés, populaires en Espagne et au Portugal, sont devenus des accessoires de mode incontournables pour la noblesse européenne. Les gants, parfumés par les mégissiers pour masquer l'odeur déplaisante du cuir brut, servaient également à combattre nombre d'odeurs désagréables, en tenant élégamment le gant près du nez. Vers 1530, Catherine de Médicis, pour qui des Dominicains florentins avaient réalisé l'une des plus anciennes eaux de Cologne, a introduit ces gants parfumés en France. Elle a été à l'origine de l'installation d'un laboratoire consacré à l'étude du parfum à Grasse, dans le sud de la France.

Véritable laboratoire de l'industrie du parfum, Grasse était jadis connue pour ses mégisseries. En effet, jusqu'au XVIIe siècle, les parfumeurs en France étaient en même temps mégissiers. Puis, le cuir passant de mode, les gantiers arrêtèrent de travailler la peau pour se consacrer exclusivement aux parfums. Aujourd'hui considérée comme la capitale mondiale des parfums, Grasse abrite plus de trente-cinq usines de traitement des matières premières de parfumerie. Son climat doux et sa situation géographique en font un site idéal pour cultiver les fleurs et les plantes.

Au XVIIIe siècle, le parfum a envoûté l'aristocratie française. Versailles baignait littéralement dans le parfum, Louis XIV étant même surnommé le « Roi Parfum ». Son humeur, disait-on, dictait le parfum du jour de la cour. À cette époque, s'asperger de parfum était souvent préféré au bain.

Mais en raison du coût élevé des matières premières et des quantités requises, le parfum est longtemps resté un article de luxe, réservé à la noblesse.

Lorsque, à la fin du XVIIIe siècle, les premières fragrances synthétiques supplantèrent les matières premières naturelles trop chères, le parfum devint accessible au plus grand nombre.

Aujourd'hui, l'industrie des parfums vaut des milliards. Elle est présente dans de nombreux aspects de notre quotidien : des parfums, cologues, savons et soins capillaires aux adoucissants, déodorants et aliments. Le parfum s'expose dans les magazines, aide à définir la personnalité du styliste et confère un certain caractère et mystère à celui qui le porte. Il est une expression de l'individualité tout en restant une constante rassurante car il évoque des situations et des émotions familières. Le parfum nous transporte dans l'espace et transcende le temps.

Quel que soit le parfum que vous choisissiez, ne sous-estimez jamais l'importance de son pouvoir et de son charme. Cléopâtre en a fait un allié pour conquérir des empereurs. Napoléon ne livrait jamais bataille sans en avoir un flacon à portée de main.

Comme disait Coco Chanel, « il n'y a pas d'élégance sans parfum ».

FAMILLES DE PARFUMS

Les parfums ou fragrances sont divisés en familles, possédant chacune un caractère et une senteur spécifiques : floral, vert, moderne/aldéhydé, chypré, oriental/ambré, citrus, épicé et marine.

Lorsque vous choisissez une ou plusieurs familles de parfums, tenez compte des facteurs suivants : préférence personnelle, mode de vie, humeur et réaction chimique de votre peau à un parfum. N'oubliez pas non plus qu'un parfum peut sentir d'une certaine manière sur une personne et différemment sur une autre.

Lorsque vous essayez un parfum, mieux vaut choisir une concentration légère telle qu'une eau de Cologne et en appliquer quelques gouttes sur le poignet. Laissez sécher de 45 minutes à une heure, afin que toutes les notes aient une chance de se dévoiler. (*Voir* Comment décrire un parfum, page 126.)

Floral

La famille de fragrances florales est de loin la plus vaste. Plus de la moitié des noms de marque de parfum commercialisés aujourd'hui entre dans cette catégorie. Les fragrances florales contiennent des huiles essentielles de fleurs et peuvent être divisées en quatre sous-catégories : floral, floral/doux, floral/frais et floral/fruité/frais. Les senteurs incluent : rose, muguet, souci, narcisse, magnolia, chèvrefeuille, gardénia, orchidée, géranium, pois de senteur, violette, fleur d'oranger, jasmin et tubéreuse.

Profil et personnalité :

FÉMININ, DÉLICAT ET ROMANTIQUE

Instants propices :

IDÉAL POUR LA JOURNÉE ET LES SOIRÉES D'ÉTÉ

Exemples :

SUBLIME (JEAN PATOU)
VIVID (LIZ CLAIBORNE)
DUNE (CHRISTIAN DIOR)
360 DEGREES (PERRY ELLIS)
TRÉSOR (LANCÔME)
SAFARI (RALPH LAUREN)
L'AIR DU TEMPS (NINA RICCI)
VERSUS (VERSACE PROFUMI)
GIORGIO (GIORGIO BEVERLY HILLS)
DKNY (DONNA KARAN)
CHANEL N° 22 (CHANEL)
ANAÏS ANAÏS (CACHAREL)
TRIBU (BENETTON)
POISON (CHRISTIAN DIOR)
JOY (JEAN PATOU)
ANNE KLEIN (ANNE KLEIN)
BEAUTIFUL (ESTÉE LAUDER)

Vert

Ces fragrances évoquent l'odeur du gazon fraîchement tondu, des prés en été, des feuilles nouvelles au printemps et du pin. Elles sont un mélange d'herbes, de végétaux, d'agrumes et de mousse. Les notes vertes ont un caractère naturel qui se marie généralement bien aux notes fruitées et florales.

Profil et personnalité :

SPORTIF, ENTHOUSIASTE, SOCIAL, VIVANT
ÉNERGIQUE, ENJOUÉ,
MODERNE ET CHIC

Instants propices :

LA JOURNÉE ET LES SOIRÉES D'ÉTÉ DÉCONTRACTÉES

Exemples :

Alliage (Estée Lauder)
Vent Vert (Balmain)
Amorena (Cantilène)
Chanel N° 19 (Chanel)
Drakkar (Laroche)
Eau de Fraîcheur (Weil)
Jil Sander (Sander)
Mademoiselle Ricci (Nina Ricci)
Silences (Jacomo)
Silverline (Gainsborough)
Sport Scent for Women (Jovan)

Moderne/aldéhydé

Comme leur nom le suggère, ces fragrances proviennent d'aldéhydes, un groupe chimique de composés découverts vers la fin du XIXe siècle et utilisés en parfumerie par Ernest Beaux, le créateur du premier parfum aldéhydique, Chanel N° 5. Les aldéhydes sont des arômes chimiques qui se combinent les uns aux autres ou aux arômes naturels pour créer une fragrance définitive. La plupart des parfums fabriqués aujourd'hui contiennent des aldéhydes.

Profil et personnalité :

RAYONNANT, ORIGINAL, ENTHOUSIASTE

Instants propices :

LA JOURNÉE OU LE SOIR

Exemples :

Chanel N° 5 (Chanel)
White Diamonds (Elizabeth Taylor)
Red (Giorgio Beverly Hills)
Madame Rochas (Rochas)
Escape (Calvin Klein)
Claiborne (Liz Claiborne)
Arpège (Lanvin)
Antilope (Weil)
Baghari (Piguet)
Aviance (Matchabelli)
Caline (Jena Patou)
Capricci (Nina Ricci)
Chicane (Jacomo)
Chantage (Lancaster)

Chypré

Nommées en l'honneur d'un parfum fabriqué à Chypre et célèbre dans la Rome antique, ces fragrances reposent sur des notes de mousse de chêne, patchouli, civette, ciste ladanifère, musc et sauge sclarée, avec des traces d'agrumes et des touches florales. Ils ont un caractère riche et tenace.

Profil et personnalité :
ÉLÉGANT, FORMEL, SOPHISTIQUÉ

Instants propices :
CONVIENT MIEUX AU SOIR

Exemples :
Cabochard (Grès)
Ma Griffe (Carven)
Ysatis (Givenchy)
Halston (Halston Borghese)
Animale (Suzanne de Lyon)
Miss Dior (Dior)
Amérique (Courrèges)
Bandit (Piguet)
Aphrodisia (Fabergé)
Bat Sheba (Muller)
Cachet (Matchabelli)
Cialenga (Balenicaga)
Ciao (Houbigant)
Grain de Passion (Verfaillie)
Nueva Maja (Myrurgia)
Nitchevo (Juvena)
Sculptura (Jovan)
Secret de Vénus (Weif)

Ambré/oriental

Cette famille évoque les épices et les essences exotiques, le cuir, le caramel et la chaleur. Les fragrances orientales sont pesantes et durent longtemps. Les senteurs de cette famille incluent le musc, l'ambre, les résines, les senteurs boisées profondes et la vanille.

Profil et personnalité :

mystérieux, séducteur, féminin

Instants propices :

idéal pour le soir

Exemples :

Obsession (Calvin Klein)
Ninja (Parfums de Cœur)
Shalimar (Guerlain)
Incognito (Cover Girl)
Navy (Cover Girl)
Samsara (Guerlain)
Chantilly (Parquet)
Opium (Yves St. Laurent)
Émeraude (Coty)
Bijan (Bijan)
Asja (Fendi)
Keora (Couturier)
KL (Lagerfeld)

Hespéridés

Les fragrances d'agrumes sont légères et fraîches et conviennent bien aux eaux de toilette. Elles incluent les senteurs de citrons, oranges, limes, mandarines, genévrier de Virginie, lemongrass, verveine et bergamote.

Profil et personnalité :

JEUNE, FÉMININ

Instants propices :

IDÉAL POUR LA JOURNÉE OU
LES SOIRÉES D'ÉTÉ DÉCONTRACTÉES

Exemples :

EAU D'HADRIEN (ANNICK GOUTAL)
EAU D'HERMÈS (HERMÈS)
EAU DE COLOGNE HERMÈS (HERMÈS)
EAU FRAÎCHE (DIOR)
E DE C DU COQ (GUERLAIN)
Ô DE LANCÔME (LANCÔME)

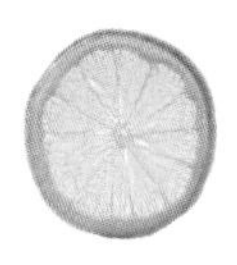

Épicé

Les fragrances épicées ont une ténacité moyenne à longue. La cannelle, la muscade, le cannelier de Chine, les girofles, le piment et le macis font partie des senteurs de cette famille.

Profil et personnalité :

NOVATEUR, ORIGINAL, JOVIAL, SOCIAL, PEU CONVENTIONNEL

Instants propices :

LE SOIR

Exemples :

CHALDÉE (PATOU)
FLEURS D'ORLANE (ORLANE)
INDRA (ST PRÈS)
MA LIBERTÉ (PATOU)
MALMAISON (FLORIS)
MOODS (KRIZIA)
CINNABAR (ESTÉE LAUDER)
MOMENT SUPRÊME (PATOU)
PARFUM SACRÉ (CARON)
POISON (DIOR)
NAHEMA (GUERLAIN)
TRANCE (BETRIX)

Marine

Cette famille de fragrances est un ajout récent. Les fragrances marines sont entièrement faites à partir de matériaux synthétiques. Les arômes de fragrances marines sont créés chimiquement pour évoquer l'odeur du linge propre, de la brise océane, de l'air pur des montagnes et des pique-niques en bord de lac.

Profil et personnalité :

amateur de plein air, athlétique,
indépendant, énergique

Instants propices :

idéal pour la journée
et les soirées d'été décontractées

Exemples :

L'Eau d'Issey (Issey Miyake)
Acqua di Gio (Armani)
Cristalle (Chanel)
Dune (Dior)
Sunflowers (Arden)
White Linen (Estée Lauder)

Comment décrire un parfum

Il existe principalement trois types de fragrances : les fragrances classiques ou de structure classique, les fragrances à note unique et les fragrances linéaires. Il est important d'identifier le type de fragrance utilisée pour décrire un parfum.

Fragrances classiques

La plupart des parfums commercialisés aujourd'hui appartiennent à cette catégorie. Ces fragrances sont des mélanges élaborés composés d'une multitude d'ingrédients (jusqu'à 700), naturels ou synthétiques, structurés en trois actes ou mouvements. Comme les mouvements d'un morceau de musique classique, ils se mélangent harmonieusement – et parfois imperceptiblement – les uns aux autres.

L'industrie des parfums emprunte une partie de sa terminologie à la musique. Comme la musique, le parfum est composé de notes, ayant chacune un caractère, une fin et un impact spécifiques. Chacune laisse une impression différente selon une chronologie établie.

Les fragrances de structure classique se composent de trois notes distinctes – de tête, de cœur et de fond – qui ont chacune une durée de vie ou phase. Si chaque note possède une identité spécifique, la collaboration et le mélange harmonieux des trois, le subtil passage d'une phase à une autre assurent la réussite d'un parfum. Dans le langage du parfum, ce passage délicat est appelé accord et correspond à ce que le parfumeur recherche lorsqu'il crée un nouveau parfum.

Fragrances à note unique

Les fragrances à note unique se concentrent sur une senteur spécifique. Cette senteur, d'une fleur ou d'une plante par exemple, sera souvent mélangée à d'autres ingrédients qui exalteront la note ou senteur principale et prolongeront sa durée. Avant l'introduction des fragrances classiques vers la fin du XIXe siècle, la plupart des parfums étaient à note unique et se composaient notamment d'huiles essentielles de rose ou de géranium.

Fragrances linéaires

Contrairement aux fragrances classiques, les fragrances linéaires sont constantes et tendent à sentir toujours la même chose. Si elles ont des notes de cœur et des notes de fond, elles gardent les mêmes impact et impression quatre heures après avoir été appliquées.

LES NOTES DE TÊTE sont celles que l'on sent en premier. Elles ressortent immédiatement dès que le parfum est appliqué sur la peau. Ces notes sont les plus frappantes mais également les plus volatiles : elles ne durent que quelques minutes. Après leur évaporation, elles laissent place aux notes de cœur.

LES NOTES DE CŒUR constituent le cœur ou le caractère dominant du parfum. Elles commencent à apparaître sur la peau environ dix minutes après l'application du parfum et peuvent durer plusieurs heures. Bien souvent, les notes de cœur déterminent le caractère ou la signature d'un parfum et permettent de le classer dans une famille de fragrance (*voir* Familles de parfums, page 109). Elles permettent de dire si un parfum est vert, floral, épicé, oriental, ambré, moderne ou marin.

LES NOTES DE FOND apparaissent lorsque les notes de cœur commencent à se dissiper. Les notes de fond garantissent la durée du parfum sur la peau ainsi que sa profondeur et son intensité. Elles apportent des fixatifs au parfum, des substances naturelles ou synthétiques qui peuvent être animales (matière parfumée d'origine animale comme le musc, l'ambre gris ou la civette), résineuses, (comme le baume, le galbanum et l'encens) ou boisées (aloès, racine d'iris ou feuilles d'estragon). Les fixatifs ralentissent la vitesse d'évaporation d'une fragrance et prolongent la durée de vie des autres senteurs. Des traces de notes de fond peuvent rester sur la peau pendant des heures, parfois des jours.

Notes de tête :

Floral, fruité et hespéridés :
rose, souci, iris, gardénia, géranium, jasmin, muguet, tubéreuse, camomille, pêche, cassis, abricot, orange, lime, citron, verveine citronnée, mandarine, bergamote, tangerine, clémentine

Épicé :
cannelle, girofle, poivre, muscade, coriandre, poivre de la Jamaïque

Boisé :
santal, romarin, cèdre, mousse de chêne

Notes de cœur :

FLORAL :

rose, jasmin, orchidée, lavande, iris, fleur d'oranger, géranium, camélia, muguet, gardénia, tubéreuse, ylang-ylang

VERT :

essentiellement des aldéhydes (arômes chimiques) reproduisant l'odeur de la pelouse fraîchement tondue ou des feuilles vertes

MODERNE :

des aldéhydes qui reproduisent des notes florales, fruitées, boisées ou d'hespéridés. Oriental/ambré : musc, ambre, vanille

CHYPRÉ :

styrax, calamus, mousse de chêne, patchouli, ciste, sauge

HESPÉRIDÉS :

citron, lime, orange, verveine citronnée, bergamote, petit grain, mandarine, tangerine

ÉPICÉ :

cannelle, coriandre, poivre, piment, muscade, poivre de la Jamaïque, girofle, gingembre, myrrhe

MARINE :

des aldéhydes qui reproduisent l'odeur du linge propre et de l'air marin

Notes de fond :

Animal :

civette, musc, ambre gris, castoréum

Résineux :

baume, racine d'angélique, galbanum, encens, baume de Capaïba, baume de Judée, baume de Galaad, baume du Pérou, baume de Tolu

Boisé :

vétiver, mousse de chêne, patchouli, vanille, santal, aquilaria, ambréine, benjoin, musc, racine d'iris, feuilles d'estragon, tonka, cèdre de Virginie, genévrier de Virginie

Recettes

Eau de rose

•

Eau de lavande

•

Lotion à l'orange douce

•

Cologne citron citron vert

•

Cologne à la sauge sclarée & au thym

•

Mélange parfumé à la mousse de chêne

•

Lotion aux épices

•

Eau de vanille

•

Parfum de nectar de poire

•

Huile parfumée de Provence

La fabrication domestique de parfum ne requiert que très peu de matériel. Il s'agit bien souvent d'ustensiles de cuisine, à l'exception peut-être des petits flacons de verre dans lesquels vous conserverez le produit définitif (*voir* Produits, page 178).

- Récipients en verre avec bouchon hermétique : un pot de mayonnaise fera l'affaire. Il sert à mélanger et faire macérer les ingrédients avant de les verser dans des séparateurs et des flacons. Il doit être absolument propre et sec – l'idéal est de le stériliser.

- Des agitateurs en verre ou une cuillère en inox : pour mélanger les huiles et les ingrédients.

- Des tasses et des cuillères à mesurer : pour mesurer l'eau, les huiles, les herbes, les épices et les fleurs.

- Des compte-gouttes : pour mesurer avec précision les huiles essentielles. Un petit entonnoir : pour remplir les flacons et les séparateurs (préférez du verre). De petits flacons en verre teinté avec bouchons : pour conserver les parfums.

- De l'étamine ou des filtres à café : pour filtrer les liquides et ôter les herbes, épices et fleurs.

- Du papier buvard : pour tester les parfums.

- De l'eau distillée et de la vodka pure.

Réaliser son propre parfum

Confectionner soi-même son parfum ne revient pas à reproduire les notes de Chanel N° 5 sur votre plan de travail ou une version de L'Air du Temps dans votre cave. Mieux vaut laisser la création de ces parfums dans les mains – et le nez – des parfumeurs qui possèdent la formation, le talent et l'équipement requis et les techniques que les amateurs les plus chevronnés auraient du mal à reproduire.

Fabriquer son parfum permet de créer des fragrances personnalisées – des sprays, essences, huiles parfumées, eaux de Cologne et eaux parfumées – qui se mêlent et traduisent des émotions personnelles, des humeurs et un mode de vie. Ces senteurs s'obtiennent à partir d'ingrédients simples et de matériel aisément disponibles par correspondance, sur Internet, dans des magasins de diététique ou spécialisés, voire dans une épicerie classique.

Les parfums sont bien souvent utilisés pour « se parfumer », quelques gouttes à l'intérieur du poignet, derrière l'oreille ou encore dans le creux du genou. Si les parfums évoqués dans ce chapitre répondent à cette fonction, leurs qualités aromatiques vont bien au-delà et, avec un peu de créativité et d'imagination, ils pénétreront tous les domaines de la maison.

Les recettes suivantes, très simples, sont un éventail des diverses familles de fragrances (*voir* page 109) à l'exception des fragrances modernes/aldéhydées, vertes et marines qui ne sont utilisables qu'en laboratoire en raison de la nature synthétique de leur composition. Ces sprays, lotions et colognes peuvent être utilisés tels quels ou servir de base à la préparation d'autres parfums en ajoutant d'autres ingrédients tels que des huiles parfumées, des huiles essentielles, des herbes, des épices et des fleurs.

Note : pour réaliser ces parfums, il est important que les ingrédients soient d'excellente qualité. Utilisez de la vodka pure, de l'eau distillée ou minérale uniquement ainsi que des herbes séchées ou fraîches, des fleurs et des fruits qui n'ont pas été colorés ni traités.

Eau de rose

PROFIL

Famille de parfums : floral

Note unique : florale

La rose a joué divers rôles tout au long de l'histoire et était déjà utilisée au VIIe siècle av. J.-C. Des couronnes de roses ont été trouvées dans des tombes égyptiennes. Les Romains remplissaient les coussins de pétales de rose. Les Grecs surnommaient le bouton de rose « la Reine des Fleurs ». Au Moyen Âge, les roses ont été utilisées à des fins médicinales et religieuses. L'intérêt croissant pour cette fleur a permis de perfectionner la distillation de l'essence de rose, apparue en Perse au XVIe siècle. Les Turcs, qui ont introduit ce procédé en Europe, sont encore aujourd'hui l'un des plus grands producteurs d'essence de rose au monde.

L'essence de rose – également appelée *rose otto* – joue un rôle essentiel dans l'industrie des parfums. La rose la plus populaire, dont on tire l'essence, est la rose de Damas, l'une des plus anciennes roses de jardin, introduite en Europe par les premiers parfumeurs arabes. Près de 75 % des parfums de qualité commercialisés aujourd'hui contiennent de l'essence de rose. Mais comme il faut près de 5 tonnes de roses pour distiller 500 g d'essence, la *rose otto* reste une fragrance extrêmement chère, favorisant l'utilisation des fragrances synthétiques. Il existe presque autant de recettes d'eau de rose qu'il y a de variétés de roses – plus de mille. Cette recette particulière est authentique et simple. L'alcool sert de conservateur et prolonge la durée de vie du parfum jusqu'à six ou huit mois. Préparée sans alcool, l'eau de rose doit être utilisée dans un délai d'un mois.

Ingrédients :

250 ML D'EAU DISTILLÉE

2 1/2 CUILLERÉES À SOUPE DE VODKA

1/2 TASSE DE PÉTALES DE ROSE FRAIS

10 GOUTTES D'HUILE PARFUMÉE DE ROSE

- *Placez les pétales de rose dans un pot en verre stérilisé.*
- *Versez l'eau et la vodka sur les pétales, en remuant doucement avec un agitateur en verre ou une cuillère en inox.*
- *Ajoutez l'huile parfumée et refermez avec un bouchon hermétique.*
- *Entreposez dans un endroit frais pendant une semaine en remuant de temps en temps.*
- *Filtrez le liquide dans une étamine ou un filtre papier pour ôter les pétales.*
- *L'eau de rose doit être immédiatement embouteillée dans un flacon hermétique.*

L'EAU DE ROSE FUT INVENTÉE AU XIE SIÈCLE PAR UN MÉDECIN ET CHIMISTE ARABE.

IMPORTED
Tanqueray

Eau de lavande

PROFIL

Famille de parfums : floral

Note unique : florale

La lavande – dont le nom vient du latin *lavare* signifiant laver – a toujours été un ingrédient privilégié en parfumerie depuis l'Antiquité. Les Grecs et les Romains l'utilisaient dans l'eau des bains. Elle a un arôme floral doux avec des sous-notes végétales et légèrement balsamiques. Outre ses pouvoirs parfumés, la lavande possède une multitude de propriétés curatives : antiseptique et un antibiotique efficace, elle facilite la cicatrisation, soulage les brûlures et soigne les infections, aide à régénérer les cellules de la peau, soulage les douleurs musculaires, les maux de tête, la fatigue, l'insomnie, la dépression et stimule les défenses immunitaires. L'eau de Lavande est apaisante lorsqu'elle est utilisée en lotion corporelle. En spray ou en massage, elle délasse les jambes lourdes, détend, rafraîchit et tempère les émotions.

Ingrédients :

250 ML D'EAU DISTILLÉE
2 1/2 CUILLERÉES À SOUPE DE VODKA
10 GOUTTES D'HUILE ESSENTIELLE DE LAVANDE
1/2 TASSE DE FLEURS DE LAVANDE (FRAÎCHES OU SÉCHÉES)

- *Placez la lavande dans un pot stérilisé. Versez l'eau et la vodka sur la lavande et mélangez avec un agitateur en verre ou une cuillère en inox.*
- *Ajoutez l'huile essentielle de lavande, fermez hermétiquement et conservez dans un endroit frais et sombre pendant une semaine en remuant de temps à autre.*
- *À l'aide d'une étamine ou d'un filtre à café, filtrez le liquide et enlevez les fleurs de lavande. Embouteillez immédiatement l'eau de lavande. Elle se conserve un an dans un flacon en verre fumé.*

INDISSOCIABLE DES PAYSAGES PROVENÇAUX, LA LAVANDE ÉTAIT DÉJÀ CONNUE DES ROMAINS QUI UTILISAIENT SON ESSENCE COMME ANTISEPTIQUE.

Lotion à l'orange douce

PROFIL

Famille de parfums : hespéridés

Note unique : hespéridés

L'orange, comme les autres essences d'agrumes, a une note de tête très volatile mais conserve une odeur claire et nette. Son essence se mélange aisément aux autres ou peut être utilisée seule. L'essence de bergamote extraite du bergamotier a une odeur fraîche et fruitée qui sert souvent d'ingrédients en parfumerie aussi bien sous sa forme naturelle que synthétique. Elle se rencontre dans près de 40 % des parfums féminins. Cette lotion particulière est purifiante et rafraîchissante. Elle peut être utilisée comme base pour créer d'autres parfums.

Ingrédients :

500 ML D'EAU DISTILLÉE

3 CUILLERÉES À SOUPE DE VODKA

15 GOUTTES D'ESSENCE D'ORANGE DOUCE

10 GOUTTES D'HUILE ESSENTIELLE DE BERGAMOTE

LE ZESTE D'UNE MOITIÉ DE CITRON

- *Mettez le zeste de citron dans un pot stérilisé.*
- *Versez l'eau et la vodka sur le zeste et remuez avec un agitateur en verre ou une cuillère en inox.*
- *Ajoutez les huiles essentielles, fermez hermétiquement et conservez dans un endroit frais et sombre pendant une semaine en remuant de temps en temps. Filtrez le liquide dans une étamine ou un filtre papier. Ôtez le zeste de citron.*
- *Placée dans un flacon en verre fumé, la lotion à l'orange douce peut se conserver un an.*

LOUIS XV OFFRAIT DE L'EAU DE FLEURS D'ORANGER À TOUTES LES DAMES DE LA COUR DE VERSAILLES LE JOUR DE L'AN.

Cologne citron citron vert

PROFIL

Famille de parfums : hespéridés

Note unique : hespéridés

La meilleure essence de citron est extraite du yuzu japonais par un procédé d'expression à froid de l'écorce. Avec une odeur exceptionnellement délicate qui donne aux notes de tête un éclat frais et une senteur forte, elle est fréquemment utilisée dans les eaux de Cologne. Associée à l'essence de lime ou citron vert, cette eau de Cologne agréablement rafraîchissante est parfaite pour les soirées d'été.

Ingrédients :

125 ML DE VODKA

125 ML DE LOTION D'ORANGE DOUCE

(*voir* RECETTE PAGE 143)

8 GOUTTES D'HUILE ESSENTIELLE DE CITRON

6 GOUTTES D'HUILE ESSENTIELLE DE LIME

LE ZESTE D'UN CITRON VERT

- *Préparez la lotion à l'orange douce comme indiqué page 143.*
- *Dans un grand pot en verre stérilisé, mélangez la vodka, l'huile essentielle de citron, l'huile essentielle de lime, le zeste de citron vert et la lotion à l'orange douce. Remuez avec un agitateur en verre ou une cuillère en inox.*
- *Fermez hermétiquement et réservez dans un endroit frais et sombre pendant une semaine, en remuant de temps à autre.*
- *Ôtez le zeste en filtrant le liquide dans une étamine ou un filtre en papier.*
- *Conservez dans un flacon en verre fumé et utilisez dans l'année.*

LE PHILOSOPHE GREC PLATON CONSIDÉRAIT LES PARFUMS COMME IMMORAUX ET PRÉCONISAIT DE RÉSERVER LEUR UTILISATION AUX PROSTITUÉES.

Cologne à la sauge sclarée & au thym

PROFIL

Famille de parfums : chypre

Note unique : chyprée

L'essence de sauge sclarée est utilisée dans de nombreux parfums et eaux de Cologne comme agent équilibrant car elle adoucit et atténue les senteurs. Elle est décrite comme ayant un léger arôme de noisette avec une note évoquant le musc, la lavande et le néroli. Le thym, dont le nom vient du grec *thymos* signifiant « parfumer », possède un arôme riche, légèrement doux qui donne une note verte et végétale en parfumerie. L'essence blanche de thym, une version raffinée du distillat rouge brut du thym, est un ingrédient commun en parfumerie. La Cologne à la sauge sclarée et au thym apporte une douce chaleur lors des journées brumeuses et pluvieuses.

Ingrédients :

125 ML DE VODKA

10 GOUTTES D'HUILE ESSENTIELLE DE SAUGE SCLARÉE

5 GOUTTES D'HUILE ESSENTIELLE DE THYM

- *Dans un petit pot en verre stérilisé, mélangez la vodka aux huiles essentielles et remuez avec un agitateur en verre.*
- *Laissez décanter dans un petit flacon en verre fumé fermé et conservez dans un endroit frais.*
- *À utiliser dans l'année.*

PENDANT LA PREMIÈRE MOITIÉ DU XVIe SIÈCLE, L'INDUSTRIE DU PARFUM PÉRICLITA. LA RÉFORME ET LE PURITANISME DÉCRIÈRENT TOUT CE QUI ÉVOQUAIT L'AMUSEMENT OU LE PLAISIR : LE THÉÂTRE, LES BEAUX HABITS, LES PARFUMS, LA NOURRITURE RAFFINÉE ET LES ÉPICES.

Mélange parfumé à la mousse de chêne

PROFIL

Famille de parfums : chypré

Note de tête : hespéridés

Note de cœur : chyprée

Note de fond : boisée

La mousse de chêne est une résine extraite de lichens trouvés sur divers arbres, notamment les chênes. La mousse de chêne est un excellent fixatif et se mélange aisément aux autres essences, en particulier la lavande, le jasmin, la fleur d'oranger et la bergamote. Elle confère une sous-note de terre à bon nombre de parfums actuels. Le romarin, ingrédient principal de l'eau de Hongrie créée en 1370 pour Elisabeth de Hongrie, a une odeur fraîche et nette qui se marie magnifiquement avec le parfum fruité et citronné de la bergamote.

Ingrédients :

250 ML DE VODKA

10 GOUTTES D'HUILE ESSENTIELLE DE MOUSSE DE CHÊNE

4 GOUTTES D'HUILE ESSENTIELLE DE BERGAMOTE

4 GOUTTES D'HUILE ESSENTIELLE DE ROMARIN

- *Mélangez les ingrédients dans un petit pot en verre stérilisé à l'aide d'un agitateur en verre.*
- *Laissez décanter dans un petit flacon en verre fumé fermé et conservez dans un endroit sombre et frais.*
- *À utiliser dans les huit mois.*

L'EAU DE HONGRIE, CRÉÉE EN L'HONNEUR DE LA REINE ÉLISABETH DE HONGRIE, CONTENAIT ESSENTIELLEMENT DE L'ESSENCE DE ROMARIN AVANT D'ÊTRE ADOUCIE PAR DE L'ESSENCE DE LAVANDE.

Lotion aux épices

PROFIL
Famille de parfums : épicé
Note unique : épicée/boisée

L'essence de muscade est obtenue à partir des graines du muscadier et est fréquemment utilisée dans l'industrie de la parfumerie pour donner une note musquée aux fragrances, qui s'équilibre très bien avec la douceur de la vanille. Le girofle, le bouton des fleurs du giroflier, fut l'un des premiers ingrédients utilisés par les premiers parfumeurs arabes et reste le composant clé de bon nombre de parfums floraux. Son essence confère à la lotion des sous-notes légèrement épicées.

Ingrédients :

250 ML D'EAU DISTILLÉE
2 CUILLERÉES À SOUPE DE VODKA
5 GOUTTES D'HUILE ESSENTIELLE DE MUSCADE
5 GOUTTES D'HUILE PARFUMÉE À LA VANILLE
4 CLOUS DE GIROFLE

- *Dans un pot stérilisé muni d'un bouchon hermétique, mélangez l'eau, la vodka et les clous de girofle ; réservez dans un endroit frais et sombre pendant une semaine.*
- *Ôtez les clous de girofle et ajoutez les essences de muscade et de vanille.*
- *Laissez décanter dans un petit flacon fumé fermé et conservez dans un endroit sombre et frais.*
- *À utiliser dans les huit à dix mois.*

MONSIEUR MARTIAL, PARFUMEUR OFFICIEL DE LOUIS XIV, CRÉAIT POUR LE ROI UN PARFUM PAR JOUR.

Eau de vanille

PROFIL

Famille de parfums : ambré/oriental

Note de tête : fruitée/épicée

Note de cœur : orientale

La vanille fut découverte au Mexique par Cortès au début du XVIe siècle. Elle doit sa popularité dans la parfumerie actuelle à François Coty, reconnu comme l'un des plus grands parfumeurs des temps modernes. Coty fut le premier à utiliser la vanille comme ingrédient clé dans L'Aiman, un parfum créé vers la fin des années 1920. Le santal est l'une des plus vieilles matières premières connues en parfumerie. Il était traditionnellement utilisé lors de cérémonies religieuses chinoises et indiennes depuis le VIe siècle avant notre ère. Aujourd'hui, l'arbre est protégé et placé sous le contrôle du gouvernement en Inde. Excellent fixatif, l'huile de santal a une note boisée et balsamique évoquant le miel et conserve son parfum longtemps. L'odeur de cette eau est chaude, sensuelle et persistante, sans être trop poudreuse.

Ingrédients :

250 ML D'EAU DISTILLÉE

2 CUILLERÉES À SOUPE DE VODKA

2 GOUSSES DE VANILLE

5 GOUTTES D'HUILE ESSENTIELLE DE SANTAL

- *Dans un pot en verre stérilisé, mélangez l'eau, la vodka et la vanille. Fermez hermétiquement et laissez reposer une semaine.*
- *Enlevez les gousses de vanille et ajoutez l'huile essentielle de santal.*
- *Laissez décanter dans un flacon fumé hermétiquement fermé.*
- *Conservez dans un endroit frais et sombre et utilisez dans les huit mois.*

AVANT DE LIVRER BATAILLE, NAPOLÉON S'ASPERGEAIT D'EAU DE COLOGNE. IL CONSIDÉRAIT CE RITUEL COMME NÉCESSAIRE POUR NE PAS PERDRE COURAGE SUR LE CHAMP DE BATAILLE.

Parfum de nectar de poire

PROFIL

Famille de parfums : floral/oriental

Note de tête : hespéridés

Note de cœur : fruitée

Note de fond : résineuse

L'association de la poire et du néroli met vraiment l'eau à la bouche. L'essence de néroli, obtenue par hydrodistillation à partir de la fleur de bigaradier, est légère, douce et citronnée. Ann Maria Orsini, princesse de Nerola, parfumait ses bains et ses gants de cette fragrance délicate. L'essence est devenue très populaire dans le milieu aristocratique italien vers la fin du XVIIe siècle et est restée un ingrédient commun dans les parfums et cologues d'aujourd'hui. L'encens (également appelé oliban) est une résine provenant des arbres thurifères du sud de l'Arabie Saoudite, du Yémen et de l'Afrique. Il possède un arôme résineux, frais et profondément balsamique, avec une note verte évoquant la pomme. Cette résine est souvent utilisée comme fixatif en parfumerie, notamment dans les parfums à forte note orientale. Cette odeur persistante est réputée pour ses pouvoirs aphrodisiaques.

Ingrédients :

1 CUILLERÉE À SOUPE DE VODKA

8 GOUTTES D'HUILE PARFUMÉE À LA POIRE

4 GOUTTES D'HUILE ESSENTIELLE DE NÉROLI

4 GOUTTES D'HUILE ESSENTIELLE D'ENCENS

- *Dans un pot en verre stérilisé, mélangez doucement avec un agitateur en verre ou une cuillère en inox la vodka, les huiles essentielle et parfumée.*

- *Laissez décanter dans un flacon fumé hermétiquement fermé et conservez dans un endroit sombre et frais. Utilisez dans l'année.*

EN PARFUMERIE, UN « NEZ » EST CAPABLE DE RECONNAÎTRE ET DE MÉLANGER PLUS DE 2 000 SENTEURS DIFFÉRENTES.

Huile parfumée de Provence

PROFIL

Famille de parfums : floral

Note de tête : florale

Note de cœur : florale

Note de fond : florale

L'huile parfumée a une durée de vie moindre que les parfums à base d'alcool mais certaines personnes préfèrent sa consistance onctueuse. Par ailleurs, l'huile parfumée persiste plus longtemps que les parfums à base d'alcool. L'huile d'amande douce ou de jojoba est une base idéale pour véhiculer les senteurs dans les huiles parfumées. Mais comme leur durée de vie est inférieure à celles des autres huiles, il vaut mieux utiliser les huiles parfumées dans un délai de six mois.

L'odeur de la lavande est très caractéristique – certains diront qu'elle crée une dépendance. Elle est utilisée en parfumerie depuis l'Antiquité. L'essence de lavande est extraite des fleurs en épi par hydrodistillation. Il faut près de 3 600 pieds de lavande anglaise – c'est elle qui, de toutes les variétés de lavande, produit l'arôme le plus fin – ou un demi-hectare de plantation pour produire près de 8 kg d'essence. L'essence de lavande provient aujourd'hui essentiellement de Provence.

Ingrédients :

1 CUILLERÉE À CAFÉ D'HUILE D'AMANDE DOUCE

15 GOUTTES D'HUILE ESSENTIELLE DE LAVANDE

10 GOUTTES D'HUILE ESSENTIELLE DE SANTAL

- *Mélangez les ingrédients dans un pot en verre stérilisé et laissez décanter dans un flacon fumé hermétiquement fermé.*

- *Conservez dans un endroit sombre et frais et utilisez dans un délai de six mois.*

LE NEZ DE L'HOMME PEUT DÉTECTER (SANS POUR AUTANT RECONNAÎTRE) PLUS DE 10 000 ODEURS DIFFÉRENTES.

- Les Égyptiens ont créé le kyphi, une substance parfumée qui, façonnée en forme de cône, était posée sur la tête d'un individu et fondait peu à peu avec la chaleur corporelle, parfumant le visage et le cou.

- Les Grecs utilisèrent les premiers le parfum à des fins autres que religieuses, notamment personnelles.

- Parfumant leurs vêtements et le linge de maison, les Romains parfumaient également les voiles de leurs navires.

- Les hommes et les femmes d'Égypte utilisaient des lotions et des huiles capillaires parfumées.

- Les Assyriens parfumaient leur barbe.

- En 1573, le comte d'Oxford offrit à la reine Élisabeth I d'Angleterre une paire de gants parfumés, donnant ainsi naissance à l'industrie du parfum en Angleterre.

- Sous le règne du roi George III, le parfum jouissait d'un tel pouvoir de séduction que la loi suivante fut publiée : « Toute femme qui séduirait ou serait infidèle dans le mariage à l'un des sujets de Sa Majesté avec des parfums, fonds de teint, fards... sera passible d'une peine applicable en vertu de la loi sur la sorcellerie... et le mariage, sur condamnation, sera nul et non avenu. »

- Catherine de Médicis lança la mode des gants parfumés au XVIe siècle en France ; jusqu'au règne de Louis XIV – surnommé le « Roi Parfum » –, les ventes de parfums étaient l'apanage des gantiers.

- Au XVIIIe siècle en France, des boiseries parfumées ornaient les murs des boudoirs.

- Avant de livrer bataille, Napoléon s'aspergeait d'une bouteille entière d'eau de Cologne et glissait le flacon dans sa botte. Il considérait ce rituel comme nécessaire pour ne pas perdre courage sur le champ de bataille.

- Les bouteilles d'eau de Cologne virent le jour vers 1830 et les bouteilles d'eau de toilette dans les années 1880.

- François Coty fut l'un des premiers à conditionner le parfum dans des flacons en cristal : Ambre Antique – un parfum créé en 1905 par Coty – est présenté dans un flacon Lalique.

- Dans les années 1920, Coco Chanel rejeta les corsets et leur rigidité pour offrir aux femmes des vêtements confortables, faciles à porter, aux lignes simples et nettes. L'allure de ses tailleurs caractérisa également l'esprit de son parfum : frais, nouveau, insolite. Chanel N° 5 fut lancé en 1921.

- Une personne qui associe et joue avec les notes pour créer une senteur s'appelle un « nez ». Un « nez » professionnel peut reconnaître et mélanger plus de 2 000 senteurs différentes.

- Un parfum ordinaire contient entre 60 et 100 ingrédients, les parfums plus complexes peuvent en contenir 300.

- Il n'y a environ que 400 parfumeurs dans le monde ; plus de la moitié travaille aux États-Unis.

- La racine d'iris, qui provient du rhizome de la fleur, est la matière première naturelle la plus chère, valant près de 500 francs le gramme.

- Il existe près de 20 notes de rose différentes.

- Une senteur est faite de molécules en évaporation que le nez humain convertit en odeur.

- Lors d'une journée ordinaire, un nez humain standard rencontre et reconnaît plus de 40 odeurs (shampooing, savon, lotion, déodorant, etc.).

- Les scientifiques ont découvert que les neurones olfactifs de l'épithélium olfactif ne survivaient qu'une soixantaine de jours. Mais lorsqu'ils meurent, une nouvelle couche de neurones olfactifs réapparaît automatiquement.

- Chaque individu possède une empreinte odorante, déterminée par son type de peau, sa couleur de cheveux, son alimentation, le stress, etc.

- Les peaux grasses retiennent plus longtemps les parfums que les peaux sèches.

Précis

Les huiles essentielles sont des substances naturelles extraites d'herbes, fleurs, herbes aromatiques, arbres, arbustes, résines et épices, généralement par hydrodistillation (distillation à la vapeur). Leur potentiel aromatique, utilisé pour parfumer les savons, lotions et parfums, peut apaiser, détendre, raviver, soulager, revitaliser ou guérir, en agissant au niveau physique, psychologique et émotionnel de l'organisme.

PRÉCAUTIONS

- Les huiles essentielles doivent être conservées dans des récipients en verre fumé à l'abri de la lumière et dans un endroit frais. Ne conservez jamais une huile essentielle dans une bouteille en plastique.
- Si vous entreposez les huiles au réfrigérateur, placez les bouteilles dans des boîtes hermétiques afin que l'arôme n'imprègne pas les aliments.
- Certaines huiles se solidifient à basse température en raison de leur teneur élevée en cire. Si tel est le cas, plongez la bouteille dans un bol d'eau chaude pour liquéfier l'huile avant de vous en servir.
- La plupart des huiles essentielles ont une durée de conservation de deux ans, à l'exception des huiles de pin et d'agrumes qui perdent une partie de leur potentiel après six mois.
- La couleur de certaines huiles peut changer avec le temps sans que cela affecte son potentiel.
- Évitez d'employer des huiles essentielles près du contour de l'œil.
- N'appliquez jamais directement une huile essentielle sur la peau ; diluez-la toujours (*voir* ci-après pour les taux de dilution).
- Ne les utilisez jamais en usage interne si ce n'est de l'avis et sous le contrôle d'un spécialiste.
- Les huiles essentielles sont déconseillées aux bébés et petits enfants et doivent toujours être conservées hors de leur portée.

Le tableau suivant répertorie les principales huiles essentielles et décrit brièvement leurs propriétés. Les huiles peuvent être achetées dans les magasins spécialisés ou par correspondance.

NOM / NOM LATIN	PROPRIÉTÉS & PRÉCAUTIONS
Ajowan *Trachyspermum copticum*	améliore la circulation, calme la douleur musculaire • ***à utiliser modérément sur les peaux sensibles***
Angélique archangélique *Angelica archangelica*	fortifiante, reconstituante, stimulante • ***ne pas utiliser au soleil***
Anis vert *Pimpinella anisum*	soulage les crampes, indigestions ou problèmes de digestion • ***déconseillé aux femmes enceintes***
Armoise blanche *Artimisia alba*	décontractant musculaire, émollient • ***déconseillé aux femmes enceintes***
Basilic *Ocimum basilicum*	agent lénitif, décontractant musculaire, tonifiante • ***à utiliser avec modération***
Bay *Pimenta racemosa*	stimulante, énergisante • ***peut irriter la peau***
Bergamote *Citrus bergamia*	soin de la peau, agent lénitif, antiseptique • ***phototoxique***
Bouleau *Betula lenta*	décontractant musculaire, agent lénitif • ***déconseillé aux femmes enceintes***
Cassissier *Ribes nigrum*	soulage les SPM, riche en vitamine C
Poivre noir *Piper nigrum*	décontractant musculaire
Cabreuva *Myocarpus fastigiatus*	calmante, augmente la vivacité
Cajeput *Melaleuca cajuputi*	stimulante, améliore l'humeur, antiseptique
Camphre *Cinnamon camphor*	agent lénitif, décontractant musculaire • ***non aux femmes enceintes et aux épileptiques***
Cananga *Cananga odorata*	soin de la peau, déodorant
Carvi *Carum carvi*	décontractant musculaire • ***légère toxicité dermique***
Cardamome *Elettaria cardamomum*	décontractant musculaire, soin de la peau, agent lénitif
Grande carotte sauvage *Daucus carota*	décontractant musculaire, soin de la peau, agent lénitif
Genévrier de Virginie *Juniperis virginiana*	antiseptique, soin de la peau, déodorant, agent lénitif
Graine de céleri *Apium graveolens*	tonique
Camomille du Maroc *Anthemis mixta*	décontractant musculaire, soin de la peau
Camomille noble *Anthemis noblis*	décontractant musculaire, soin de la peau
Écorce de cannelle *Cinnamomum zeylanicum*	soin de la peau, anti-inflammatoire • ***peut irriter la peau***
Citronelle de Ceylan *Cymbopogon nardus*	soin de la peau, anti-insecte
Sauge sclarée *Salvia sclarea*	soin de la peau, astringent, agent lénitif, décontractant musculaire • ***déconseillé aux femmes enceintes ; ne pas boire d'alcool, ne pas conduire***
Girofle *Syzgium aromaticum*	décontractant musculaire, agent lénitif • ***peut irriter la peau***

NOM / NOM LATIN	PROPRIÉTÉS & PRÉCAUTIONS
Copahier *Copaifera officinalis*	améliore la circulation, réduit le stress
Coriandre douce *Coriandrum sativum*	décontractant musculaire, agent lénitif • ***à utiliser avec modération***
Costus *Sassuriea costus*	calmante
Cumin *Cuminum cyminum*	stimulante • ***peut irriter la peau***
Cyprès toujours vert *Cupressus sempervirens*	antiseptique, astringent, agent lénitif, soin de la peau • ***inflammable***
Cypriol *Cyperus scariosus*	facilite la digestion
Eucalyptus *Eucalyptus globulus*	antiseptique, agent lénitif, soin de la peau, anti-insecte
Onagre *Centhera biennis*	bon pour la peau sèche et l'eczéma
Fenouil doux *Foeniculum vulgare dulce*	décontractant, agent lénitif, antiseptique • ***à utiliser avec modération***
Encens *Boswellia carteri*	soin de la peau, agent lénitif
Férule gommeuse *Ferula galbaniflua*	soin de la peau, décontractant musculaire
Géranium *Pelargonium graveolens*	rafraîchissant pour la peau, astringent
Gingembre *Zingiber officinale*	astringent
Pamplemoussier *Citrus paradisi*	agent lénitif, astringent, soin de la peau
Hysope officinale *Hyssopus officinalis*	agent lénitif, soin de la peau • ***déconseillé aux femmes enceintes, aux épileptiques et aux hypertendus***
Jasmin *Jasminum officinale*	émollient, agent lénitif, antiseptique
Genévrier commun *Juniperus communis*	purifiant pour la peau, astringent, agent lénitif • ***inflammable***
Cyste ladanifère *Cistus ladanifer*	soin de la peau
Lavandin *Lavandula hybrida*	agent lénitif, décontractant musculaire, soin de la peau, astringent
Lavande vraie *Lavandula officinalis*	agent lénitif, décontractant musculaire, soin de la peau, astringent
Citronnier *Citrus limonum*	agent lénitif, antiseptique
Lemongrass *Cymbopogon flexuosus*	Soin de la peau, agent lénitif, décontractant musculaire, antiseptique • ***peut irriter la peau***
Limetier *Citrus aurantifolia*	agent lénitif, soin de la peau, astringent
Mandarinier *Citrus reticulata*	agent lénitif, soin de la peau, astringent
Leptosperme *Leptospermum*	Soulage les douleurs, cicatrisant pour la peau
Marjolaine des jardins *Origanum marjorana*	antiseptique, calmante
Mimosa *Acacia dealbata*	décontractant musculaire, soin de la peau, agent lénitif
Myrrhe *Commiphora myrrha*	anti-inflammatoire, émollient, antiseptique • ***utiliser modérément en cas de grossesse***

NOM / NOM LATIN	PROPRIÉTÉS & PRÉCAUTIONS
Myrte commune *Myrtus communis*	agent lénitif, astringent, soin de la peau, décontractant musculaire
Néroli bigarade *Citrus aurantium*	antiseptique, émollient
Niaouli *Niaouli elaleuca viridiflora*	antiseptique, calme les peaux irritées, décontractant musculaire **• à utiliser avec modération**
Oranger *Citrus sinensis*	astringent, agent lénitif, soin de la peau
Origan *Origanum vulgare*	énergisant **• peut irriter la peau**
Palmarosa *Cymbopogon martini*	soin de la peau, agent lénitif, émollient, décontractant musculaire
Patchouli *Pogostemon cablin*	anti-inflammatoire, antiseptique, astringent
Menthe des champs *Mentha arvensis*	émollient, antiseptique, décontractant **• peut irriter la peau**
Petit grain bigarade *Petitgrain bigarade*	soulage l'anxiété et le stress
Pin sylvestre *Pinus sylvestris*	antiseptique **• peut irriter la peau**
Rose de Damas *Rosa damascena*	soin de la peau
Rose Otto *Rosa*	astringent
Romarin *Rosmarinus officinalis*	antiseptique, décontractant musculaire, agent lénitif, soin de la peau **• déconseillé aux femmes enceintes et aux hypertendus**
Bois de rose *Aniba rosaeodora*	décontractant musculaire
Sauge officinale *Dalmatian Salvia officinalis*	agent lénitif **• déconseillé aux femmes enceintes et aux épileptiques**
Santal blanc *(Mysore) Sandalum album*	antiseptique, émollient, agent lénitif, astringent, soin de la peau
Menthe verte *Mentha spicata*	émollient, astringent, agent lénitif, décontractant musculaire **• à utiliser avec modération**
Estragon *Artimisia dracunculus*	astringent
Melaleuque à feuilles alternes *Melaleuca alternifolia*	antiseptique **• peut irriter les peaux sensibles**
Thym vulgaire *Thymus vulgaris*	antiseptique, tonique **• peut irriter la peau**
Vanille *Vanilla planifolia*	émollient
Vétiver *Vetiveria zizanioides*	émollient, hypotenseur
Violette *Viola*	agent lénitif, soin de la peau
Achillée millefeuille *Achillea millefolium*	cicatrisant
Ylang-Ylang *Cananga odorata*	réduit le stress et la tension
Zanthoxylum *Zanthoxylum alatum*	réduit le stress et la tension

Tableau de saponification

L'indice de saponification (indice SAP) d'une huile ou d'une graisse particulière correspond à la quantité d'hydroxyde de potassium (potasse caustique) en milligrammes nécessaires pour saponifier un gramme d'huile ou de graisse.

Afin d'obtenir la quantité d'hydroxyde de sodium (soude caustique ou lessive) nécessaire pour saponifier cette huile ou graisse, prenez la quantité d'hydroxyde de potassium qui serait nécessaire et multipliez-la par 0,71. (Pour information, sachez que cette valeur de 0,71 a été obtenue après plusieurs phases de calcul impliquant les masses moléculaires de divers composés. Par souci de simplification, nous préférons omettre les détails scientifiques).

Chaque huile ou graisse possède un indice SAP distinct ; par conséquent, la quantité d'hydroxyde de potassium (et donc d'hydroxyde de sodium) requise pour la saponification sera différente en fonction de l'huile ou de la graisse utilisée.

L'indice SAP de l'huile de coco par exemple est 268,0. Cela signifie qu'il faut 268,0 milligrammes d'hydroxyde de potassium pour saponifier 1 000 milligrammes (ou 1 gramme) d'huile de coco. Pour obtenir la quantité de soude requise, multipliez alors 268,0 par 0,71 et vous obtiendrez un total de 191,2 milligrammes.

GRAISSE OU HUILE par 1 000 mg ou 1 g	INDICE SAP quantité d'hydroxyde de potassium requise en mg	quantité d'hydroxyde de sodium ou de soude requise en mg
Huile d'amande	192.5	137.2
Huile de noyau d'abricot	190.0	135.5
Huile d'avocat	187.5	133.7
Suif de bœuf	197.0	140.5
Huile de ricin	190.0	137.5
Huile de castor	180.3	128.5
Beurre de cacao	193.8	138.2
Huile de coco	268.0	191.2
Huile de maïs	192.0	129.8
Huile d'onagre	191.0	136.2
Huile de noisette	195.0	139.0
Huile de jojoba	97.5	69.5
Saindoux	194.6	138.7
Huile de noix de macadamia	195.0	139.0
Huile d'olive	189.7	135.2
Huile d'amande de palmiste	219.9	156.8
Huile de palme	199.1	141.9
Huile d'arachide	192.1	136.9
Huile de carthame	192.0	136.9
Huile de sésame	187.9	133.9
Beurre de karité	180.0	128.3
Huile de soja	190.6	135.9
Huile de graine de tournesol	188.7	134.5
Huile d'amande douce	192.5	137.2
Huile de germe de blé	185.0	131.9

CIRE		
Cire d'abeille	88.0	62.7
Lanoline	82.0	58.5
Lécithine	110.0	78.4

PRINCIPES DE CALCULS

- Si vous utilisez plusieurs huiles, vous devez calculer l'indice SAP du mélange. Par exemple, supposons que vous mélangiez 7 grammes d'huile de coco et 3 grammes de beurre de karité, soit un total de 10 grammes (ou 10 000 milligrammes) d'huiles.

- Pour calculer l'indice SAP global, vous devez déterminer l'indice SAP de chaque huile et le pourcentage de chaque huile dans la masse totale des graisses/huiles.

- Ainsi pour 7 grammes d'huile de coco et 3 grammes de beurre de karité, vous aurez : 0,7 multiplié par 268,0 plus 0,3 multiplié par 180,0, soit 241,6 milligrammes. L'indice SAP global des graisses/huiles est de 241,6.

- Multipliez la masse totale des graisses/huiles par l'indice SAP global pour obtenir la quantité totale requise d'hydroxyde de potassium.

- 10 grammes multipliés par 0,2416 grammes égalent 2,41 grammes d'hydroxyde de potassium.

- Pour la quantité d'hydroxyde de sodium/soude nécessaire, multipliez 2,41 par 0,71.

- 2,41 multipliés par 0,71 égalent 1,71 gramme de soude caustique nécessaire pour un mélange d'huiles contenant 7 grammes d'huile de coco et 3 grammes de beurre de karité.

GLOSSAIRE DES TERMES ET DES TECHNIQUES

**= mots, termes et expressions fréquemment utilisés dans l'industrie du parfum*

•= mots, termes et expressions fréquemment utilisés dans l'industrie du savon

* **Abir** poudre aromatique d'origine hindoue, composée de girofle, santal et cardamome fréquemment utilisée pour parfumer les produits orientaux.

• **Absolue** extrait de substance parfumée très concentré (provenant d'une fleur, d'une écorce ou d'une feuille par exemple), ne contenant pas de cire ni autres produits dérivés. L'absolue a subi pour le moins deux processus d'extraction.

* **Accord** mélange complexe de trois ou quatre senteurs (ou notes) qui, individuellement, ont une identité et un arôme distincts mais qui, après mélange, perdent leur individualité pour donner naissance à une nouvelle senteur possédant ses propres caractéristiques et son identité aromatique.

• **Acide Valeur** quantité d'hydroxyde de potassium nécessaire pour neutraliser l'acide gras dans un gramme de matière grasse.

* L'alcool éthylique dénaturé est ajouté à une substance ou une essence de parfum pour en modifier son intensité. Moins une substance est diluée, plus l'impression de l'odeur est forte. Ci-dessous sont listés les divers types de parfums des plus concentrés (plus fort pourcentage d'essence de parfum par rapport à l'alcool) au moins concentrés :

* **Aldéhyde** composé organique d'origine naturelle ou synthétique, utilisé dans la fabrication de parfums synthétiques. Les parfums aldéhydés laissent des impressions odorantes riches et mystérieuses ou notes de tête. En 1921, les aldéhydes furent utilisés avec succès pour la première fois dans le parfum N° 5 de Coco Chanel.

• **Alkali** substance d'un pH supérieur à 7. L'hydroxyde de sodium est un alcali utilisé pour neutraliser un acide dans la fabrication du savon.

* **Ambre** résine obtenue de la sève des résineux donnant aux parfums une note chaude ; famille de fragrances caractérisée par des senteurs chaudes, boisées, douces et exotiques.

* **Ambre gris** substance légère, presque inodore et légèrement graisseuse sécrétée par l'intestin des cachalots. Elle était communément utilisée comme fixateur dans les parfums et donnait une note riche, fumée, veloutée, proche du musc. Dans la parfumerie moderne, l'ambre gris, ainsi que les autres substances d'origine animale comme le musc, le castoréum et la civette – sont rarement employés. Ces notes animales chaudes sont restituées par l'utilisation de plantes et de produits de synthèse.

* **Animale** terme utilisé pour décrire une fragrance dont l'origine est réellement animale telle que du musc, castoréum, civette ou ambre gris.

* **Anosmie** terme médical désignant la perte de l'odorat.

* **Apocrine** type de glande sudoripare du corps humain qui définit l'odeur corporelle d'un individu et qui peut modifier l'odeur d'un parfum appliqué sur la peau.

* **Attar** ou **otto** vient du perse *Atr jul* signifiant « graisse d'une fleur ». Il s'agit de l'huile essentielle obtenue d'une fleur par distillation. Souvent utilisé lorsque l'on parle d'huiles essentielles de rose.

* **Bande buvard** *voir* Mouillette

• **Base** alcali (généralement de la soude caustique ou lessive) utilisé pour réagir avec les graisses ou les huiles dans la fabrication du savon.

* **Baudruchage** méthode utilisée par certains parfumeurs pour sceller les flacons. Le col et le bouchon du flacon sont recouverts et scellés par une fine membrane (baudruche provenant d'un intestin de porc) autour de laquelle un fil très fin est noué.

* **Boisé** terme utilisé pour décrire une fragrance qui a un arôme riche et profond rappelant le bois, mais qui n'est pas nécessairement extraite du bois, comme le santal, le musc, le cèdre, le patchouli, le vétiver ou le chêne.

* **Bulbe olfactif** région du cerveau de la taille d'un pois qui reçoit les données sensorielles ou messages électriques des neurones olfactifs et les envoie vers d'autres régions du cerveau via le système limbique.

* **Cellule olfactive** neurone qui perçoit les molécules odorantes.

• **Chlorophylle** substance rencontrée dans les plantes, utilisée comme colorant dans le savon. Elle confère également au savon des propriétés antiseptiques.

* **Chypré** famille de fragrances reposant essentiellement sur des notes boisées telle

que la sauge sclarée, la mousse de chêne et le patchouli.

* **Cœur** cœur de la flagrante ; ce qui définit son caractère.

* **Cologne** fragrance légère contenant peu d'essences de parfum dans une base d'alcool.

* **Concentration du parfum** fait référence au pourcentage d'huiles essentielles contenues dans la composition d'un parfum.

* **Concrète** substance cireuse obtenue par l'extraction d'huiles essentielles à l'aide de solvants volatils. Les concrètes peuvent subir d'autres distillations et purification pour donner des absolues. *Voir absolue.*

Eau de Cologne
Alcool-preuve de 50 à 75° pour une concentration maximale de 5 % d'essence de parfum.

Eau de toilette
Alcool-preuve de 80 à 90° pour une concentration de 8 à 15 % d'essence de parfum.

* **Eau de toilette** préparation de parfum dont la teneur en essence de parfum varie entre 4 et 8 %.

* **Eau légère** eau de toilette contenant entre 1 % et 3 % de concentré de parfum.

• **Émollient** substance qui entretient l'humidité de la peau et prévient la déshydratation.

* **Encens** fumée parfumée provenant de la combustion de matières et substances aromatiques.

* **Enfleurage** technique d'extraction des huiles essentielles et des absolues à partir des plantes ou des fleurs en les saturant dans de la graisse animale. Lorsque la graisse est saturée, elle est mélangée à de l'alcool, puis chauffée et refroidie. Le mélange est ensuite filtré pour enlever toutes les graisses et les résidus de plantes ou de fleurs. L'alcool est évaporé, ne laissant que l'huile essentielle.

* **Épicé** famille de fragrances caractérisée par des senteurs épicées comme la muscade, cannelle, girofle, cannelier de Chine, etc.

* **Épithelium olfactif** couche de cellules sensorielles (voir organe voméronasal) qui tapisse la partie arrière supérieure du nez. Il s'agit des « capteurs d'odeur » qui transmettent un message électrique au bulbe olfactif. L'épithélium olfactif contient plus de 5 millions de neurones olfactifs.

* **Équilibre** résultat du mélange de divers composants parfumés donnant une impression harmonieuse et bien mélangée.

•* **Essences parfumées** imitations synthétiques d'huiles essentielles.

•* **Expression** technique de pressage à froid utilisée pour extraire les huiles essentielles des fruits, généralement des citrus. Les pelures sont pressées dans des rouleaux ou presses hydrauliques pour en extraire l'huile.

* **Extraction** processus au cours duquel des ingrédients tels que des fleurs, plantes, graines, etc. sont ajoutés à un solvant volatil et chauffés à basses températures afin de libérer les huiles des ingrédients dans le solvant. Le solvant est évaporé, laissant l'huile.

* **Extrait** 1. forme concentrée de substance végétale. 2. forme la plus pure de parfum possédant la plus forte teneur d'huiles parfumées dans l'alcool.

Extrait de parfum
Alcool-preuve à 96° mélangé à une huile pour une concentration supérieure à 22 % d'essence de parfum.

* **Factice** faux flacon de parfum, parfois surdimensionné, rempli d'un liquide teinté simulant un parfum et généralement utilisé à des fins promotionnelles.

* **Fixatif** substance qui ralentit la vitesse d'évaporation d'une odeur. Ils proviennent souvent de mousses, résines et arômes chimiques. Les fixatifs les plus communs sont le genévrier de Virginie, les pelures d'orange, l'iris, le patchouli, le styrax d'Anatolie. *Voir* également Note de fond.

* **Flacon** petite bouteille de parfum surmontée d'un bouchon décoré hermétiquement fermé.

* **Florale** famille de fragrances caractérisée par des odeurs provenant des fleurs ; terme utilisé pour décrire des notes et des senteurs qui proviennent des fleurs.

• **Fonte** processus par lequel la graisse est nettoyée et purifiée – le produit définitif est le suif.

* **Force** intensité d'une fragrance.

* **Fragrances synthétiques** imitations faites en laboratoire de parfums naturels ou fragrances fabriquées en laboratoire qui n'existent pas dans la nature.

• **Glycérine** produit dérivé du processus de fabrication du savon, cette substance est souvent rajoutée au savon en raison de ses qualités naturellement émollientes. Les savons qui contiennent beaucoup de glycérine sont souvent transparents.

* **Gomme** substance poisseuse provenant des arbres ou arbustes, généralement utilisée comme liant ou fixatif.

* **Hespéridés** terme décrivant un type de notes, en particuliers celles des oranges, citrons, limes, mandarines, nérolis et bergamotes.

•* **Huiles essentielles** essences concentrées tirées de plantes, écorces, racines, graines, tiges, fleurs, fruits et feuilles par une technique d'extraction, généralement l'hydrodistillation (vapeur).

* **Hydrodistillation** méthode la plus populaire pour extraire grâce à la vapeur les huiles essentielles des fleurs, plantes, écorces, graines et fruits.

• **Indice de saponification** (SAP) l'indice SAP d'une huile est équivalente à la quantité d'hydroxyde de potassium nécessaire pour saponifier un gramme de cette huile.

• **Insaponifiables** huiles qui n'entrent pas dans la réaction de fabrication du savon et qui restent intacts dans le pain de savon définitif.

* **Intensité** force ou impact d'un parfum ; sans relation avec sa durée ou sa qualité.

* **Ionones** substance chimique essentielle aux parfums et fragrances de violette.

* **Languette** *voir mouillette*

* **Macération** technique d'extraction des huiles essentielles où les fleurs sont plongées dans de grandes cuves de graisses chaudes. Le mélange est dilué dans l'alcool puis l'alcool est évaporé, laissant l'huile.

* **Marine** famille de fragrances reposant sur des matériaux synthétiques qui rappellent des senteurs naturelles telles que du linge fraîchement lavé, la brise océane ou l'air de la montagne.

* **Moderne** famille de fragrances qui fait référence à des mélanges contenant des aldéhydes qui exaltent les senteurs d'autres composantes du parfum. Les fragrances modernes ont une note de tête riche et un attrait général poudré. Chanel N° 5, créé par Ernest Beaux, fut le premier parfum dans lequel les aldéhydes furent utilisés de cette manière.

* **Mouillage à froid** technique d'extraction des huiles appelée par la suite enfleurage. Voir enfleurage.

* **Mouillette** fine bande de papier filtre absorbant utilisée pour évaluer une fragrance.

* **Note** terme utilisé pour représenter les divers stades d'évaporation des huiles essentielles. Dans l'ensemble, une note permet d'expliquer ce que sent un parfum au moment où il est appliqué sur la peau et des heures après. Il y a trois catégories de notes : les notes de tête qui sont les senteurs les plus marquantes lorsque vous sentez un parfum pour la première fois ; les notes de cœur, qui remontent lorsque les notes de tête commencent à se dissiper ; et les notes de fond qui confèrent au parfum sa ténacité.

* **Note de cœur** note de la fragrance qui détermine la famille à laquelle elle appartient. Il faut entre 8 et 16 minutes aux notes de cœur, après application sur la peau, pour pleinement se développer.

* **Notes de fond** ces notes, également appelées notes de base, définissent la ténacité ou pouvoir de persistance d'une fragrance. Les composants de ces notes persistent plus longtemps et fixent généralement la composition.

* **Note de tête** première impression que laisse un parfum immédiatement après avoir été appliqué sur la peau ; des trois notes – de tête, de cœur et de fond –, les notes de tête sont les plus volatiles et s'évaporent en premier.

* **Note sèche** note qui suggère une fragrance boisée ou moussue.

* **Olfactif** relatif à l'odorat.

* **Organe voméronasal** cellules nerveuses situées dans de minuscules sacs en forme de cigare dans l'épithélium olfactif, derrière la narine, sur la paroi nasale. Cet organe contient des cellules réceptrices qui détectent les signaux chimiques et les transmettent via le système limbique au bulbe olfactif.

• **pH** indique la concentration des ions hydrogène d'une substance.
- un pH de 7 est neutre
- un pH entre 1 et 7 est acide
- un pH entre 7 et 14 est basique ou alcalin.

* **Phéromone** substance chimique sécrétée par les animaux pour susciter une réponse chez d'autres animaux de la même espèce.

* **Pommade** baume parfumé utilisé pour la peau ou les cheveux. Les parfumeurs l'utilisent pour décrire une substance faite de graisse et de parfum de fleurs, une substance essentielle au processus d'enfleurage.

• **Procédé à froid** procédé élémentaire de fabrication du savon impliquant une réaction entre les graisses/huiles et la lessive.

* **Profondeur** terme utilisé pour décrire la richesse et l'ampleur d'un parfum.

* **Résinoïde** résine purifiée avec de l'alcool afin d'enlever les matières poisseuses.

• **Saponification** réaction chimique complexe au cours de laquelle un acide gras réagit avec une base pour donner du savon et de la glycérine.

• **Savon** produit résultant de la réaction d'un acide gras (graisses ou huiles) et d'une base forte (dont l'hydroxyde de sodium est le plus courant).

• **Séchage** processus de vieillissement (4 à 8 semaines) lorsque le savon a été versé dans les moules. Lors du séchage, la saponification se poursuit (la lessive est toujours active) donnant un pain de savon doux.

• **Séparation** terme utilisé pour décrire un problème apparaissant dans le processus de fabrication du savon lorsqu'une couche d'huile remonte à la surface de la lessive.

* **Seuil de reconnaissance olfactive** concentration minimale d'une vapeur qui peut être détectée et identifiée correctement.

* **Solvants** fluides volatils utilisés pour extraire les huiles essentielles des plantes, fleurs, herbes aromatiques et autres matières naturelles de parfumerie.

• **Soude** également appelé soude caustique, hydroxyde de sodium ou lessive, cet élément clé dans le processus de fabrication du savon forme l'alcali ou base caustique qui réagit avec les graisses et les huiles afin de donner du savon. La soude se trouve dans le commerce sous la forme de pastilles, bâtonnets ou flocons et doit être manipulée avec précaution car tout contact direct avec la peau entraînera des brûlures ou des irritations.

* **Sous-ton** subtilité de fond d'une fragrance.

• **Suif** graisse animale pure dont les impuretés ont été enlevées.

• **Surgraissage** ajout d'un excédent d'huile ou de graisse dans le savon pour le rendre plus riche et plus crémeux. Cette étape a lieu après le traçage mais avant de verser le mélange dans les moules. L'huile d'avocat et le beurre de cacao sont souvent employés, séparément, comme agents de surgraissage.

* **Système limbique** région du cerveau qui reçoit les messages des nerfs olfactifs et les interprète. Le système limbique est le siège des émotions, humeurs et pulsions sexuelles.

* **Ténacité** aptitude d'une fragrance ou d'une note à durer.

• **Titre** température à laquelle les acides gras d'une graisse ou d'une huile se solidifient, c'est-à-dire température de solidification. Plus le titre d'une graisse ou d'une huile est élevé, plus le savon sera dur.

• **Traçage** terme utilisé dans la fabrication du savon indiquant le moment où un savon est prêt à être versé dans les moules. Lorsque l'eau/la soude et la graisse se combinent, le mélange est liquide. En réagissant, le mélange commence à s'épaissir et à s'opacifier. Le traçage est terminé lorsque vous pouvez dessiner une ligne de savon sur le mélange avec une cuillère ou une spatule ou lorsqu'une marque se forme à la surface lorsque vous faites tomber une goutte.

* **Verte** famille de fragrances caractérisée par des senteurs d'herbes fraîches ; terme utilisé pour décrire des fragrances qui sentent comme une pelouse fraîchement tondue et des plantes vertes en général.

* **Volatile** substance qui est aisément vaporisée à basse température ; terme qui fait référence à la durée de vie d'une note ; note extrêmement volatile qui s'évapore très rapidement.

ADRESSES DE SITES WEB

Savons :

Brookside Soap Making Supplies
www.halcyon.com/brookside/makesupp.htm

Fabrication de savons (site québécois)
http://www.apis.qc.ca/fabric.html

National Craft Association
www.craftassoc.com/ssoap.html

Sugar Plum Sundries
www.craftassoc.com/ssoap.html

Soap Crafters Company
www.soapcrafters.com

Creation Herbal Products
www.creationsoap@boone.net

Sweetcakes Soap Making Supplies
www.sweetcakes.com

Fine Handcrafted Soap by the Soap Factory
www.alcasoft.com/soapfact

Countryside Soap
www.countrysidesoap.com

Au Natural Handmade Soaps and Sundries
www.simplerway.com/au-naturale

Natural Way Soapworks
www.localaccess.com/NaturalWaySoap

Savon de Marseille
www.marseillesoap.com/index.htm

Greek Olive Warehouse Imports, Inc.
www.greekolivewarehouse.com/chiamp/soaps

Huiles essentielles (site québécois)
http://www.apis.qc.ca/huiles.html

Huiles essentielles
http://www.myrtea.com/

Produits et fournitures :

Pourette
6910 Roosevelt Way NE
Seattle, WA 98115
(206) 525-4488
(Fournitures pour fabriquer ses savons, huiles)

Angel's Earth
1633 Scheffer Avenue
St. Paul, MN 55116
(612) 698-3636
(Fournitures, huiles)

Sunfeather Herbal Soap Company, Inc.
1551 State Highway 72
Potsdam, New York 13676
(Fournitures pour fabriquer ses savons, huiles)

House of Crafts
62 Knighton Lane
Leicester LE2 8BG
01 16 283 8996
(Fournitures pour fabriquer ses savons, huiles)

Cranberry Lane Natural Beauty Products
#65 - 2710 Barnet Hwy
Coquitlam, British Columbia, Canada,
V3B 1B8
(604) 944-1488

Chem Lab Supplies
1060 Ortega Way, Unit C
Placentia, CA 92670
(714) 630-7902
(Hydroxyde de sodium, échelles électroniques)

Consolidated Plastics Company, Inc.
8181 Darrow Road
Twinsburg, OH 44087
(800) 362-1000
(échelles électroniques, cuillères, récipients en plastique, thermomètres)

NOTE *Tous ces sites web pour fabriquer des savons vendent aussi des huiles et des fragrances pour les parfums.*

Parfums :

Fragrance Resources
www.fragrance.ch/ www.fragrance.ch

Majestic Mountain Sage
www.the-sage.com/catalog/essential.html

Gingham 'n' Spice
P.O. Box 88psc
Gardenville, PA 18926
(215) 348-3595
(bouteilles, huiles, eaux parfumées)

Cavansons Ltd.
Hollins Vale Works
Hollins Village
Bury, BL9 8QG, UK
(0161) 766-3768

Sunburst Bottle
5710 Auburn Boulevard, Suite #7
Sacramento, CA 95841
(916) 348-5576
(bouteilles)

General Bottle Supply
P.O. Box 58734

Vernon, CA 90058
(bouteilles, compte-gouttes,couvercles, agitateur en verre)

Aphrodisia
264 Bleeker Street
New York, NY 10014
(212) 989-6440
(huiles, fragrances)

Aromatica
513 N. 36th Street
Seattle, WA 98103
(206) 545-8100
(huiles, fragrances)

Garden of Fragrances and Aromatics
141 Court Street
Brooklyn, NY 11201
(718) 625-6340
(huiles)

ASSOCIATIONS et ORGANISATIONS

International Perfume Bottle Association
www.perfumebottles.org

Perfume Bottle Collecting
members.aol.com/perfumedad/collect2/
Institut Supérieur International du Parfum, de la Cosmétique et de l'Aromatique Alimentaire
www.isipca.fr

The Fragrance Foundation
www.fragrance.org

The Soap and Detergent Association
www.sdahq.org

The Soap and Detergent Association
475 Park Avenue South
New York, NY 10016
(212) 725-1262

The Fragrance Foundation
145 East 32nd St.
New York, NY 10016
(212) 725-2755

Association internationale de fragrances
8 Rue Charles-Humbert
CH-1205 Genève, Suisse
011 (41) 22-321-3548

The Cosmetic, Toiletry, and Fragrance Association
1101 17th Street NW Suite 300
Washington, DC 20036-4702
(202) 331-1770

Musée international de la Parfumerie
8, place du Cours
06130 Grasse, France
011 (33) 4 93 36 80 20

Musée du Flacon de parfum
33, rue du Temple
17000 La Rochelle, France
011 (33) 46 41 32 40

Musée des Aromes et du Parfum
Petite Route du Grés-Mas de la Chevêche
Graveson, France
011 (33) 4 90 95 81 52

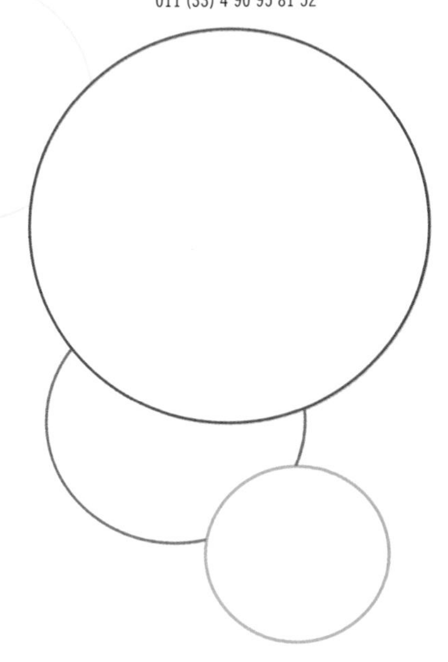

Ackerman, Diane. *A Natural History of the Senses.* Vintage Books, New York, 1991

Barry, Nicolas & al., *L'ABCdaire du Parfum*, Flammarion, Paris, 1998

Bedoukian, Paul Z. *Perfumery and Flavoring Synthetics.* 2nde Édition. Elsevier Publishing Co., Amsterdam, 1967

Booth, Nancy M. Perfumes, *Splashes & Colognes.* Storey Publishing, Vermont, 1997

Boulanger, Patrick, *Mémoire du savon de Marseille*, Équinoxe, 1994

Browning, Marie. *Beautiful Handmade Natural Soaps.* Sterling Publishing Co., Inc., New York, 1998

Cavitch, Susan Miller. *The Soapmaker's Companion.* Storey Publishing, Vermont,1997

Coss, Melinda. *Le Savon- L'atelier.* Les Éditions du Carousel, Paris, 1999

Coney, Norma. *The Complete Soapmaker.* Sterling Publishing Company, Inc. New York, 1996

Donkor Peter, *Produire du savon*, Gret, 1992

Edde, Gérard, *Manuel des plantes de santé*, La Table Ronde, Paris, 1998

Genders, Roy. *A History of Scent.* Hamish Hamilton Ltd., Londres, 1972

Green, Annette and Dyett, Lindaq. *Secrets of Aromatic Jewelry.* Flammarion, Paris, 1998

Groom, Nigel. *The Perfume Handbook.* Chapman & Hall, Londres, 1992

Hulbert, Mike. *Country Living Handmade Soap.* Hearst Books, New York, 1998

Ishaque, Labeena. *Heaven Scent.* Watson-Guptill Publications, New York, 1998

Kaufman, William F. Perfume. *E.P. Dutton & Co.*, Inc., New York, 1974

LaGallienne, Richard. *The Romance of Perfume.* Richard Hudnut, New York, 1928

Lefkowith, Christine Mayer. *The Art of Perfume.* Thames and Hudson Inc., New York, 1994

Le Guèrer, Annick, *Les Pouvoirs de l'odeur,* Odile Jacob, Paris, 1998

Le Louarn, Pierrick, *Guide pratique de l'aromathérapie,* De Vecchi, Paris,1994

Maine, Sandy. *The Soap Book : Simple Herbal Recipes.* Interweave Press, Colorado, 1995

Mohr, Merilyn. *The Art of Soap Making.* Camden House Publishing, Ontario, 1979

Monery, A., *L'Âme des parfums,* Quillet, Paris, 1924

Moran, Jan. *Fabulous Fragrances.* Crescent House Publishing, Beverly Hills, 1994

Newman, Cathy. *Perfume : The Art and Science of Scent.* National Geographic Society, 1998

Roudnitska, Edmond, *Le Parfum,* P.U.F, Que sais-je ?, Paris, 1990

Verrill, A. Hyatt. *Perfumes and Spices.* L. C. Page & Company Publishers, Boston, 1940

Vos mélanges personnels

Vous découvrirez, en confectionnant vos premiers savons et parfums, qu'il est très utile de conserver des fiches détaillant les ingrédients et les durées de réalisation. Vous vous souviendrez ainsi des recettes réussies (et des autres...) et des durées requises pour les étapes de vieillissement. Les fiches suivantes sont données à titre d'exemples.

RECETTE DE SAVON :

HUILES DE BASE :

ADDITIFS :

TOUCHES DÉCORATIVES :

DATE DU MÉLANGE :
DÉBUT VIEILLISSEMENT :
ARRÊT VIEILLISSEMENT :

REMARQUES SUPPLÉMENTAIRES :

RECETTE DE SAVON :

HUILES DE BASE :

ADDITIFS :

TOUCHES DÉCORATIVES :

DATE DU MÉLANGE :
DÉBUT VIEILLISSEMENT :
ARRÊT VIEILLISSEMENT :

REMARQUES SUPPLÉMENTAIRES :

RECETTE DE SAVON :

HUILES DE BASE :

ADDITIFS :

TOUCHES DÉCORATIVES :

DATE DU MÉLANGE :
DÉBUT VIEILLISSEMENT :
ARRÊT VIEILLISSEMENT :

REMARQUES SUPPLÉMENTAIRES :

RECETTE DE SAVON :

HUILES DE BASE :

ADDITIFS :

TOUCHES DÉCORATIVES :

DATE DU MÉLANGE :
DÉBUT VIEILLISSEMENT :
ARRÊT VIEILLISSEMENT :

REMARQUES SUPPLÉMENTAIRES :

RECETTE DE SAVON :

HUILES DE BASE :

ADDITIFS :

TOUCHES DÉCORATIVES :

DATE DU MÉLANGE :
DÉBUT VIEILLISSEMENT :
ARRÊT VIEILLISSEMENT :

REMARQUES SUPPLÉMENTAIRES :

RECETTE DE PARFUM :

ALCOOL DE BASE :

PARFUM & HUILES ESSENTIELLES :

ADDITIFS :

DATE DU MÉLANGE :
DÉBUT VIEILLISSEMENT :
ARRÊT VIEILLISSEMENT :

REMARQUES SUPPLÉMENTAIRES :

RECETTE DE PARFUM :

ALCOOL DE BASE :

PARFUM & HUILES ESSENTIELLES :

ADDITIFS :

DATE DU MÉLANGE :
DÉBUT VIEILLISSEMENT :
ARRÊT VIEILLISSEMENT :

REMARQUES SUPPLÉMENTAIRES :

RECETTE DE PARFUM :

ALCOOL DE BASE :

PARFUM & HUILES ESSENTIELLES :

ADDITIFS :

DATE DU MÉLANGE :
DÉBUT VIEILLISSEMENT :
ARRÊT VIEILLISSEMENT :

REMARQUES SUPPLÉMENTAIRES :

RECETTE DE PARFUM :

ALCOOL DE BASE :

PARFUM & HUILES ESSENTIELLES :

ADDITIFS :

DATE DU MÉLANGE :
DÉBUT VIEILLISSEMENT :
ARRÊT VIEILLISSEMENT :

REMARQUES SUPPLÉMENTAIRES :

INDEX

N

O

P

R

S